KB103411

누아르물2

Noire-genre2

누아르물2

발 행 | 2024년 03월 21일
저 자 | 장성우(살생금지)
펴낸이 | 장성우
펴낸곳 | 인생은 인쇄다
출판사등록 | 2023.7.17.(2023-000037호)
이메일 | jsoooosj@naver.com

ISBN | 979-11-93868-07-2

www.bookk.co.kr/jsoooosj.upaper.kr
ⓒ 장성우(살생금지) 2024

누아르물 2

장성우(살생금지) 현대 판타지 소설

목차

작가의 말

작가의 말입니다.
1권째에 이어, 2권째입니다.
완결이고,
대단할 것 없는 서사의 마지막입니다.

영석은 자신의 지난 삶에 대해 어떤 결론을 내리게 될까요.

음.
액션적으로나, 주인공 캐릭터의 동선적으로나. 그다지 갈팡질팡하는 구석이 없는, 단순-호쾌한 느낌의 서사이긴 합니다만

그래도 남자는 늘 그 안에 나름대로의 고민이 있습니다. 영석도 그런 놈이고요.

음,
글을 적는 데는 한 달이 좀 안걸렸던 것 같군요.
이전에 적어둔 글을 이제사, 종이책으로 옮깁니다. 아무쪼록 즐겨주시고, 조금의 즐거움이라도 되신다면
좋을 것 같군요.

24.3.15.金.저자, 장성우:살생금지 올림

느와르noir(-e, 프랑스어)

noir;영어

명사: 암흑가[누아르] 영화(film ～), 암흑가 소설(roman ～)(암흑가를 무대로한 비정한 범죄물).

-출처 : YBM 올인올 영한사전

－ － － － － － － － － － － － －

11. 탕!

영석은 그대로 아침 나절에 방문한 폐건물을 빠져 나왔다. 달아나듯 나온 것이었고, 실제로 도망쳐야 했다.

아주 짧은 용건을 끝내고 나오자 속에서 비명이 터져나왔다. 그는 그대로 달린다. 폐건물의 근처는 그저 공터였다. 모래로 이루어진 바닥이 있었고, 부지를 가르는 낡고 무너진 부분이 많은 담벼락을 너머 인근 도로로 향한다.

폐건물 주변의 상황 역시 건물 내부와 크게 다르지 않았다. 인적이 드문 곳이었다. 굳이 이 블럭 내부까지 발길을 걷는 사람은 별로 없으리라.

조직 폭력배들이 모이는 아지트답게, 주변에 또 은근한 소문 따위가 퍼져서 더욱이 길을 걷는 사람이 없을 지도 몰랐다. 들어오면서 두리번거렸는데, CCTV도 블럭 내부로 들어오는 입구 외에는 별로 보이지 않았다. 물론 그가 찾지 못한 곳에 카메라가 있을 지는 모른다.

미로, 까진 아니더라도 다소 복잡한 골목이 형성되어 있었다. 영석은 그대로 100M 주파를 하듯 단거리 주자처럼 뛴다. 검은 외투의 속에 몸통이 다소 두텁다. 윈드 브레이커 자켓 내부에 방탄 재킷을 입은 탓이었다. 이런 꼴로 시내를 돌아다니는 건 눈에 띄는 짓거리이긴 했다. 최근 시내에 많이 보이는 렌트용 전기 오토바이를 이용해서 다가왔다. 그의 뒤에는 작은 배낭이 걸쳐져 있었다.

맨 몸보다는 확실히 처질 수 밖에 없는 상태였지만, 그의 움직임은 어떤 맨 몸의 운동선수보다도 빠르고 폭발적이었다. 그는 확실히 인간을 초월한 운동 신경을 보이고 있다.

타다다, 하고 운동화의 밑창이 바닥을 박찼다. 빠른 박자로 제 몸을 밀어낸 영석의 발이다. 그는 곧바로 폐건물의 담벼락을 지나 눈 앞에 보이는 골목으로 들어갔다. 앞 쪽에 있는 다른 폐공장 부지 내부에 몸을 숨겼다. 담벼락 중 한 가운데 구멍이 뚫린 곳이 있었다. 명치 즈음까지 오는 부서진 흔적을 도움닫기도 없이 한 번에 뛰어 넘었다. 그대로 몸을 숨기고 둘 정도 속으로 세자, 그가 일을 저지른 내부 건물에서 벌컥, 문이 열리는 소리가 들렸다.

그대로 안쪽에 있던 사내들이 바깥으로 튀어나온 것이다. 상가 건물은 제법 크기가 큰 곳이었고, 거대한 설비가 필요한 종류가 아니라면 공장으로도 쓸 수 있는 종류였다. 정문 한 개에서 튀어나오는 검은 양복의 사내들이 날씨에 어울리는 복장도 아니었고, 서울 한복판 도심지역에 있을 법한 분위기나 표정들도 아니었다.

마치 귀신을 본 것처럼, 혹은 세상에서 가장 끔찍한 꼴을 당한 인간들처럼 표정을 일그러뜨리고 있다. 사실 비슷했다. 영석은 죽은 줄로 알고 있는 존재였으며, 갑자기 눈 앞에서 그들의 보스를 죽였으니. 영석은 숨을 들이 마셨다. 그리고 옆으로 빠르게 몸을 돌려 움직이면서,

그대로 탄창을 비워내기 시작했다.

탕타타타타! 귀따가운 소리가 퍼졌다. 소음기를 끼고 있는데도 그렇다. 조금 길게 늘인 배럴 앞에 장착된 소음기는 어느 정도 발사음을 막아주지만 바로 들고 있는 입장에서는 제법 큰 소리였다.

도심 지역에서 이런 류의 소리가 연발로 퍼진다면 어떤 반향이 돌아올 지 모르겠다. 영석으로서는, 뭐 감당해야 할 일이라고 생각했다.

어차피 한 번 정도는 저지를 일이었고, 마침 전호식의 일당이 모인다는 소식을 들어서 때가 맞아 들었던 것 뿐이다.

그는 죽다 살아난 인간이었다. 뒤는 그리 신경쓰지 않는다. 구하는 단계에서부터 난항을 겪어야 하는 기관총, 소총 종류가 아니라면 이 정도는 얼마든지 쓸 의향이 있었다.

서울 외곽지. 사람이 별로 없는 버려진 땅에서 총격전이 시작되었다.

특작조의 일원들 중에서도 미리 총을 갖고 있는 자들이 일부 있었다. 그들을 경계해서 영석이 재빨리 움직인 것이기도 하다. 칼이나 삼단봉 따위, 손으로 들고 움직이는 냉병기라면 그것으로 그를

당해내기가 어려웠다.

총이라고 하더라도 소형 탄이 엄한데 박히지만 않는다면 움직일 수 있는 그다. 피부 조직이 바뀐 것인지 이전보다 맷집이 강해졌다. 타격으로 그를 쓰러뜨리는 건 거의 불가능에 가까울 것이다.

맞는 순간에도 그 타격점을 흐트러뜨리면서 피해를 최소화 할 테니까. 그 정도의 운동신경이었고, 애초에 그의 앞에서 멀쩡히 움직이는 것조차 어려운 일이다.

평범한 사람이 주먹을 내지를 정도의 여유라면 그는 두 세 번 정도 같은 일을 반복할 수 있었다.

그가 기이한 변화를 겪은 뒤 가장 크게 체감하는 부분은 운동신경도 있었지만, 그 근육의 활동을 관상하는 뇌의 영역이었다. 마치 오래도록 무술을 수련해 온 인간처럼 그가 자연스럽게 자신의 신체 능력을 활용하고 있다.

초인약을 위한 실패작이었던 Fa시리즈가 가장 크게 변화를 꾀한 곳은 그의 뇌일지도 모른다.

격렬한 운동을 하고 난 뒤에는 음식을 많이 먹게 되기는 했다. 그는 최기욱과 민형석을 잡는 등 일을 벌이고 나서는 늘 대식가 이상의 식사를 했다.

보통 사람의 이상으로 움직이는 일에는 상당한 칼로리가 필요한 모양이다.

탕, 타타타, 하고 자동 권총으로 마치 연사를 하듯 빠르게 갈긴 영석이었다. 그의 감각은 다른 사람들보다 아득하게 발달되어 있었다. 빠르게 옆으로 한 두 걸음 지나가면서 스쳐 보인 장면이 그에게는 느린 화면, 혹은 멈춘 것으로 보였다.

그 시각에 반응해서 조준을 하고 탄알을 갈겨댄다. 정확한 사격이었고, 고작 골목 하나와 공터 한 두 개 정도를 사이에 둔 거리에서 권총탄이 상대의 급소 부위에 박혀 들어갔다.

끄아아아! 비명을 지르면서 누군가 주저 앉거나, 혹은 소리 없이 쓰러졌다. 그 옆에 있던 놈들 중 스쳐 맞은 놈들이 가장 시끄러웠다. 직접적으로 급소를 맞은 사내들은 그대로 소리를 지르지도 못한 채 쓰러져 죽었으니까 말이다.

수십 명. 많다면 백여 명 정도.

영석은 튀어나올 이들의 숫자를 가늠했다. 권총탄은 두둑히 챙겨왔다. 사이좋게 한 발씩 나눠 먹는다면 모두 처리 가능한 탄알이었다. 19발들이로 10개 정도였다. 당장 그가 집 안에 숨겨 두었던 보유량을 모두 들고 왔다. 아마 이 일이 끝나고 나서는 따로 구입해야 할 것이다.

직접 알고 있는 무기상을 찾아도 좋았고, 부동산업자인 김만수를 찾아가도 쉽게 구할 수 있을 테다. 전직 조직원이었던 김만수는 평화롭게 살아가지만 아직 완전히 그 연을 다 놓지는 않았다. 위기의 상황에서 그를 요긴하게 도와줄 수 있는 몇 안되는 조력자였다.

비령 물산에 그의 수하들이 많이 있었지만 이제와서 그들을 찾는 것도 염치 없는 일이었다. 이미 죽은 보스가 돌아가봤자 시끄러워지기만 할 테다. 어느 정도 주변 파벌에서 그의 죽음을 빌미로 흡수를 했을 지도 모르고.

그는 비령 물산의 이사로서, 조직의 간부로서의 목적 의식은 잃어버린지 오래였다. 비령 그룹 자체의 파괴를 원하는 그와 같이 갈 만한 자들이 그룹 내부에는 달리 없으리라.

타타타탕! 시끄러운 탄알 소리가 거리를 울렸다. 미친 놈들은 소음기도 쓰지 않고 그대로 탄창을 소비하는 모양이었다. 권총탄 정도인지, 그가 몸을 숨기고 있는 콘크리트 담벽 사이로 총알이 날아들었다. 도탄이 튀어 그에게 박히는 일은 다행히 없었다. 그는 그대로 뒤도 돌아보지 않고 뛰었다.

그에게 있어 가장 강력한 무기는 같은 인간이라고 보기 힘들 정도의 운동 능력이다. 최대한 발휘해서 집단전에 임해야 했다. 가만히 앉아 있다가 저들에게 깔려 죽는 게 가장 멍청한 짓이었다. 영석은 한 달음에 한쪽 벽면에서 다른 쪽 벽면으로 이동했다. 대각선 방향으로 그대로 쭉 뛰었다.

한 순간에 몇 미터씩 박차고 날아가듯 뛴다. 그의 몸은 지나치게 가벼워 마치 맹수가 탄력적으로 움직이는 모습같기도 하다. 다시 한 번 담벼락 앞에 선 그는 이번에도 발을 박찼다.

그대로 흙바닥을 뛴 그가 흰 콘크리트 담벽을 발로 짚는다. 최소한의 마찰이 사라지기 전에 비스듬한 방향으로 힘을 주면 추락을 지연시키거나, 운이 좋다면 조금 더 위로 뛰어오를 수도 있었다.

영석은 운이 나쁘지 않은 편이었고, 운동 신경과 순간적인 감각과 판단 반응이 지독하게 빨랐다. 그는 사람의 키를 넘는 담벼락의 위에 아주 손쉽게 손을 두었고, 그대로 휙 하고 제 몸을 끌어 올렸다. 그저 야트막한 장애물을 넘는 모습처럼 보였다.

춤을 추듯이 벽 하나를 쉽게 짚어 넘는다. 한 쪽 손이 먼저 그를 끌어올렸고 반대 팔도 짚은 뒤 하체를 끌어올려 로프 위를 넘어 링으로 들어가는 프로 레슬러처럼 지나가 바닥에 내려 앉았다.

탓, 하는 작은 소음이 났고 골목에 마침 들어오는 인기척이 있었다. 폐공장 안쪽에서 쏟아져 나오기 시작한 특작조원들이다. 그들은 미쳐 있었고, 갑자기 보스를 살해한 사이코를 찾기 위해서 눈 일이 돈 표정들로 뛰었다.
건물에서 나오자마자 받은 몇 발의 총격 역시 그들을 자극하기 충분했다. 냉정함을 가진 이들이기에 패닉에 빠지지 않은 것인지도 모른다.

영석은 달렸다. 바닥에 내려앉고 그가 최고 속력에 도달해 달리기까지 채 숨 몇 번 고를 시간 조차 걸리지 않는다. 순식간에 짧은 골목을 주파한 그는 다시 한 번 담벼락을 넘는다.
아까와 마찬가지의 방법으로 제 몸을 휙 담벼락 위로 올렸다.

처음 전호식을 죽인 상가 건물에서 바라보자면 앞으로 나와 왼쪽 대각선에 있는 부지의 건물이었다. 주변 건물들의 형태는 대강 비슷비슷했다. 근방에 사람의 인기척이 있는 건물은 없다. 영석은 담벼락 위에 올라갔다. 그 좁은 폭 위에 운동화의 발을 두었고, 탕! 뒤에서 총 소리가 들렸다.
특작조가 그를 겨냥하고 위로 사격하기 시작한 것이다. 영석은 지나치게 빨랐고, 도심지에서 불안정한 사선을 갖고 그를 맞추기란 어려운 일이었다. 나름대로 사격 연습 따위가 특작조가 되기 위한 트레이닝 과정에 있었음에도 그러했다. 다년간 그것을 위해 애를

써 온 특수부대들이나 묘기와 같은 적중률이 가능하다.

　영석은 그런 특수 부대가 온다고 하더라도 쉽게 잡히지 않을 정도의 능력이 있었다. 그는 고양이처럼 달린다.
　발을 옆으로 대어 보면 신발의 아래와 위가 모두 튀어 나오는 수준의 좁은 콘크리트 블록 위다. 그 사이를 발꿈치를 떼어 세우며 날렵하게 달리는 모습은 가히 초인적인 수준이라고 할 만하다.

　어느 무협 영화에 등장하는 로프 액션의 주연 배우처럼 그가 날듯이 뛰었고, 지상과 거의 다름 없는 속력으로 좁은 담벼락 위를 질주한 그는 그 끄트머리에서 대각선 방향으로 긴 점프를 해냈다. 그대로 그 앞 건물의 부지 안 쪽으로 구르듯 들어갔다. 뒤따르는 이들이 있었고, 영석은 그대로 문이 열려 있는 2층짜리 폐공장 안쪽으로 들어섰다.

　열심히 뛰어온 것에 비하면 그리 길지 않은 도망처處였다. 영석의 모습이 그 안쪽으로 사라졌고, 힘겹게 따라온 몇 명의 특작조원들이 주변을 수색하다가 건물 안쪽으로 들어선다.

　나무판자 따위를 덧대어서 바람을 막고 있는 폐건물이었는데 정작 현관이 크게 뻥 뚫려 있었다. 2층짜리 건물은 들어가자마자 콘크리트 맨바닥이 드러나 있는 꼴이었고 오래도록 방치되어 있던 공장 설비, 철제의 물건들이 늘어서 있었다.

　그대로 주욱 직진을 하면 2층으로 올라가는 철조 계단이 있다. 철조 계단의 위에 2층은 1층의 절반 정도를 덮는 크기로 형성되어 있었는데, 구멍이 숭숭 뚫려 있는 바닥이다. 아침의 햇빛이 들이닥치는 와중에도 2층 쪽은 빛이 닿지 않아 어두운 편이었다. 그 그

늘 사이에 숨어 있던 영석은 그대로 아슬아슬한 거리를 재다가 방아쇠를 당겼다.

타탕!

영석의 귀에는 깨나 들리지만 소음기를 달았다고 격발음이 멀리까지 퍼지지는 않았다. 공장 안 쪽으로 의심스럽다는 듯 발길을 들였던 특작조원 두 명이 심장 부근에 총알을 맞고 그대로 쓰러졌다. 비명조차 제대로 지르지 못하고 백발백중의 솜씨로 맞은 것이었고, 그대로 마네킹이 쓰러지듯 저항없이 바닥과 안면을 마주했다.

쿵! 하고 쓰러진 두 사내의 주변으로 가슴이 무너져 내려 피가 흘러나왔다. 권총탄은 인간을 죽이기에 충분했다. 영석은 그대로 내부에 숨어서 잠시간 더 기다렸다. 2층 안쪽으로 들어가면 외부로 통하는 문이 있다.
2층 발코니로 이어지고, 외측에 설치된 철제 계단이 다시 공장 뒤쪽의 공터, 테라스와 연결되어 있다.

위로 올라오자 마자 영석은 계단 근처에 있던 문을 철컥이며 확인했었고, 열려있다는 사실을 알고서 시간을 끌며 기다리는 중이었다. 타다다, 하고 사람이 달리는 발소리가 났다. 건물 안쪽에서 듣기엔 다소 작은 소리였지만 영석의 귀에는 선명하게 들렸고, 심지어 그 소리를 내고 있는 이들의 자세나 체형 체격까지 알아챌 수 있었다.

아주 손 쉬운 일이었다. 타이밍에 맞추어서, 방아쇠를 당기는 일은.

타탕!

다시 한 번 연사에 가까운 2연발 점사가 나갔다. 그 사이의 틈이 거의 없기에 연발로 느껴지지만 실상은 영석이 빠른 시간 안에 방아쇠를 두 번 당기는 것이었다. 자동권총의 연발 속도의 한계에 가까운 빠르기로 총알이 날아갔고, 폐공장의 정문으로 들어오려던 몇 명이 다시 가슴팍에 총을 맞고 쓰러졌다.

"씨발, 저기다! 쏴!"

특작조원들은, 거의 정신이 나갈 것 같았다. 자신들은 조직 폭력배였고, 그들이 하고 있는 생활은 영화의 그것과는 전혀 다른 일이었다. 화려한 싸움도 전투도 아니었고, 그들이 겪는 일상은 아비규환의 연속이다.

그 속에서 다른 누군가가 한쪽을 압도하는 일은 잘 벌어지지 않는다. 죽을 듯한 상황 속에서 공포를 억누르면서 떨리는 손으로 방아쇠를 당기는 게 결국 실전에서의 대부분이었다. 지금 일어나고 있는 상황은 명백히 이상한 것이었다.

차라리 귀신을 직접 보는 것이 덜 무서우리라. 한 명의 사내가 갑자기 그들의 아지트에 처들어와 보스를 쏴 죽였고, 그대로 말도 안되는 속도로 날아 도망치더니 보이지 않는 곳에서 총알을 쏴대고 있는 것이다.

다시 말하듯 그들에게 이건 영화가 아니라 실제였다. 언제 죽을지 모른다는 두려움과 분노, 당황스러움이나 특작조원으로서 해야 할 의무 따위가 혼재되어 그들은 약간의 현실감이 날아간 상태로 달려대고 있었다.

그 와중에 체제가 유지되는 것은 122명의 특작조원들 중 상급 위치를 차지하고 있는 몇 명의 리더격의 인물들 때문이었다. 그들은 비령 그룹, 개중 엔터에 들어오는 많은 외부 의뢰를 성공적으로 해결한 인간들이고, 전문성이 없는 범죄 조직의 양아치에 불과했으나 많은 실전을 거치면서 자신들의 재능을 나름대로 발견한 자들이었다.

어떻게 보면 불쌍하다고 할 수도 있었다. 멀쩡히 사회에서 자신의 몸을 단련했다면 어느 종류이든 운동 선수라도 할 수 있었을 재능들일텐데. 그들은 총을 들고 칼을 휘두르면서 죄 없는 사람을 죽이는 일을 업으로 삼고 더러운 돈을 받는다.

비령 그룹의 조직원들은, 그런 인간들로만 수 천 단위가 있었다. 영석은 그런 집단이 존재하는 게 세상에 그다지 도움이 되지 않는다고 생각했다.

그는 수퍼 히어로도 아니었고, 영웅적인 인물은 아니었지만 사리분별은 가능했다. 치가 떨리는 비열함에 대한 증오도 있었고. 여러가지 이유들이 그의 내면에서 복합적으로 작용했고, 그는 결국 자신에게 주어진 비현실 속에서 가장 바라마지 않던 일을 행할 뿐이었다. 비령 그룹의 몰락은, 그에게 있어서 어떤 사명감처럼도 느껴진다.

그 속에서 내부의 온갖 더러움을 다 겪었던 그이기에 느끼는 의무이다.

탕!

한 발을 더 쏘았다. 그리고 넉넉하게 탄창을 일단 갈았다. 19발들이를 모두 소모해서 갈 필요는 없었다. 위급한 순간에 한 발이라도 부족했다가 생사가 갈릴 수도 있었으니.

한 발 더 쏜 것은, 때마침 한 명의 인기척이 더 느껴졌기 때문이었다. 목구멍을 관통당한 건장한 사내 한 명은 그대로 비명도 없이 엎어졌다. 타다다! 하고 발로 시끄럽게 무언가를 차듯한 소리가 뒤에서 들려왔다.

영석의 귀는 시력이 아주 좋지 않은 사람의 눈이나 거의 비슷한 정확도를 자랑한다. 철제 난간을 통해 2층으로 달려 올라오고 있는 놈들이 몇 놈 있었다. 총성이 울리고, 근처에 자기네들 조원이 죽은 것을 본 조직원들이 건물을 둘러싸는지도 모른다. 그는 그대로 빠르게 달렸다. 2층 난간, 발코니로 향하는 문쪽으로였다.

2층 구조는 전부 철제였다. 그 역시 약간의 발소리를 소음으로 내면서 문에 바짝 다가간다. 그가 살짝 귀를 기울였다. 달려 올라오는 놈들의 타이밍을 재고 있다. 한 대여섯 명 정도가 한 꺼번에 올라오는 듯하다. 그는 바깥으로 열리는 문을 빵, 차듯이 열었다.

쾅! 하고 요란스런 소리를 내며 바깥 구조물에 문이 부닥친다. 그 사이에 사람이 있어 기절을 한다거나 하는 일은 없었다. 다만 느닷없이 열린 문에, 뛰어 올라오던 놈들이 멈칫했고 들고 있던 총을 겨눠들었을 뿐이다. 타탕! 조심성이 없는 인간은 결국 방아쇠를 당겼다. 영석은 바깥의 경치를 보았다.

아침 나절에 벌이기에는 제법 하드한 일과였다. 보통이라면 브런치를 즐길 시간이리라. 직장인이었다면 조금 후에 오전 업무를 마치고 점심 시간을 가질 테였고.

이 짓거리를 하고 밥이 넘어가기를 바라면서, 영석은 햇살이 비치는 한적한 거리의 구조를 살핀다. 잘하면 뛸 수 있을 것 같았다.

그는 망설이지 않았고, 타탕, 하면서 시끄럽게 귀를 때리는 총성이 멎는 순간을 틈타서 앞으로 날았다.

휙, 하고 몸을 날리는 그의 몸동작은 메뚜기가 나는 것처럼 보인다. 순식간에 철제 베란다의 바닥을 한 번 딛고, 그 난간에 다음 발을 댄 그는 탄력적으로 뛰었다. 대퇴부가 가장 고생이 심하다. 삐걱거리는 듯한 느낌을 참으면서 그는 멀리 뛴다. 그대로 2층에서 십 수 미터 정도는 나는 듯하다.

영석은 자신의 몸의 한계를 체험했다. 놀랍게도, 공중에서 몸을 뒤틀어 뒤로 권총을 겨누고 방아쇠를 당길 정도의 여유가 났다.

몸의 움직임보다 정신의 변화가 더 극적이다. 그는 순간 집중을 했고, 멈춰버린 세계로 감각되는 장면 속에서 난간을 타고 올라오던 머저리 다섯 명의 머리에 차례대로 총알을 선사했다. 탕, 타탕! 세 발 쯤 갈기자 슬슬 자세를 바꾸어야 했다. 땅이 다가오고 있었다.

그대로 그 거리를 뛰었다가 바닥에 처박으면 그라고 해도 어딘가 부러지거나 금이 가거나, 만신창이가 될 것이다. 영석은 재빨리 몸을 돌려 낙법을 취했다. 십 여 미터를 뛴 것처럼 아주 긴 거리를 데굴데굴 구르면서 충격을 최소화했고, 앞구르기와 옆구르기를 합쳐 대각선 방향으로 멀어졌다.

마지막 순간에는 튕겨 나가듯 뛰어 올라 관성 그대로 다시 달리기 시작한다. 이번에는 골목으로 향했다. 몇 개의 공장 부지가 골목을 형성하고 있었다. 빠르게 달려가는 그의 뒤에 총격이 있었지만, 명중률이 그리 좋지는 못했다. 골목의 내측으로 딱 달라 붙었다가 멀어졌다를 반복했다.

사선이 제대로 나오지 않아 돌벽에 맞아 튕기기가 일쑤였다. 몇 호흡 되지 않아 짧은 골목을 벗어난 그가 다시금 십자로 교차하는 다음 골목에 들어섰다. 그는 바로 방향을 바꾸어 왼쪽으로 틀었는데, 그렇게 지나가는 그의 고개 뒤로 정장을 입은 조직원들이 보였다.

"여깄다!" "쏴!"

권총을 지닌 놈이 한 명 있었던 모양이다. 일대는 백여 명의 사내들이 흩어져서 뒤지고 있는 판국이었다. 골목을 돌다 언제 놈들을 마주쳐도 이상하지는 않다.

영석의 도주로를 파악하는 건 특작조원들에게도 어려운 일이었다. 빠르게 여러 방향으로 흩어졌던 이들이 다시금 그의 위치를 잡아 몰려들기까지 시간이 걸린다. 영석은 일단 자신과 마주친 운 없는 놈들에게 총탄을 먹여주고,

타타탕!

그리고 왼쪽으로 마저 빠져나갔다. 권총을 지닌 놈은 심장을 맞췄고, 시끄럽게 떠들던 놈들은 적당히 어깨와 대퇴부 즈음을 쏴서 멈춰두었다. 총탄은 한 발이라도 신체에 들어오면 그대로 쇼크를 일으키고 행동이 정지된다.

전쟁 중에 아드레날린 따위가 분비되어서 일시적으로 움직일 수도 있겠지만, 어지간한 사람은 한 두 발로도 행동 불능이 되는 게

정상적이었다.

특작조원들은 일반론적인 범위에서 벗어나는 인간들은 아니었다. 방탄 조끼도 없이 양복 차림이던 작자들이라, 쉽게 쓰러졌다.

영석은 좁은 골목을 달리다가, 그 끝 즈음에 다다랐을 때 자신을 반기며 달려드는 인간들을 보았다. 타이밍이 또 마침 좋게 꺾어지는 방향에서 모습을 드러내는 일련의 무리다. 그는 가까운 거리라면, 총을 쓰는 것보다 가볍게 상대할 수 있었다. 그대로 날아서 운동화의 밑창을, 우루루 나타난 여러 명 중 가장 앞에 있는 놈의 인중 부근에 박아넣었다.

그대로 얼굴 뼈가 함몰되어서 수술실에 가야 할듯한 충격을 받았고, 뒤로 넘어간다. 그는 묘기를 부리듯 공중에서 멈춰 선 뒤 그 잠깐의 시간 동안 발을 놀려 다른 놈의 어깨 즈음을 밟았다. 애초에 체공 시간이 말도 안되게 길고 또 멀리 뛰기에 가능한 묘기였다.

공중을 나는 게 아닌가 싶은 착각이 들 정도의 동선이었고, 적절하게 밟을 거리가 주어진다면 실제로 그는 그런 묘기가 가능했다.

빠르게 움직이는 파편들을 보고 멈춘 사진 속을 감상하듯 할 수 있는 동체 시력과 인간을 넘은 반응 속도, 다양한 각부의 근력이다. 김영수는 열댓명은 되어 보이는 듯한 사내들을 상대로 아주 편하게 움직였다.

손이 많다고 하더라도 그를 잡지 못한다면 근력은 아무 소용이 없었다.

그대로 사람을 밟고 스턴트를 하듯 올라간 그는 관성을 유지하면서 최대한 많은 인간을 패는 방법을 궁리한다. 어깨를 강하게 박차면서 한 번 더 뛰었다. 높이 뛰기 위함은 아니었고 밑에 밟힌 인간을 밀기 위한 움직임이었다. 쿵, 하는 충격을 받은 한 사내는 자신의 어깨 위에 돌덩이가 떨어진 것 같은 느낌을 받았다.

그대로 어깨 뼈가 금이 가면서 아래로 떨어진다. 잠시 허공에 두 발을 띄고 서 있는 영석은 다른 인간의 면상을 밟았다. 어지럽게 움직이며 입체적인 바닥이라고 할 수 있는 인간들의 위였지만, 그는 천천히 그 가운데 밟을만한 구석들을 찾아 움직이고 있었다.

콱! 하는, 사람의 얼굴 근처에선 나면 안될 듯한 소리와 함께 오른 발로 탭댄스를 추듯 조직원 하나의 얼굴을 짓밟았다. 운동화의 밑창은 제법 단단한 재질로 진한 감촉과 감상을 그에게 선사했다. 김상원이라는 이름의 조직원이었고, 키가 크고 어깨가 단단했다. 덕분에 튀어나와서 영석이 가장 먼저 밟는 얼굴이 되었다.

밑창으로 얼굴을 갈듯 즈려 밟았고, 그대로 똑같이 밀어 뛴다. 그는 탭댄스를 추고 있었다. 다시 한 번 자리를 옮겨 다른 쪽에 있는 놈의 어깨를 밟았고, 이제 그 탭댄스가 끝이 나야 한다고 느꼈다. 순식간에 서너 명을 쓰러뜨렸지만 아직 남아 있는 놈들이 있었다. '우와아아아아!' 멀리서 다른 놈들이 비명을 지르는 게 들린다. 다가오고 있는 모양이다.

조직원들끼리 연락용 무전기 따위라도 있는 것인지 나름대로 일사분란한 모습이다. 저 소리와 함께 달려오는 놈들에게 총이 없기를 바랄 뿐이다.

영석의 날렵한 움직임에 그들은 칼을 함부로 휘두르지 못했다.

허공을 베는 것은 물론이고, 밀집한 터라 자기들끼리 베어 피를 볼까봐 하는 염려 때문이었다.

영석은 마저 어깨를 밟았고, 그대로 오른쪽 옆, 뒤쪽에 있는 놈의 얼굴을 발의 앞코로 차버렸다. 찍어 차듯이 임팩트를 주어 입가를 쳤고, 지나치게 강렬한 충격으로 전방에 있는 모든 치아가 한번에 나가버렸다. 그런 발차기의 디딤발이 된 사내도 어깨가 정상은 아니었다. 균형을 잃는 듯이 자세가 무너졌지만 영석으로서 위기는 아니었다.

호쾌하게 앞으로 뻗어 나가는 아랫단 차기를 한 뒤에, 그대로 허공에서 180도를 빙글 돌아 땅바닥에 떨어진다. 그 아래에는 마침 사람이 있었고, 그는 피하지 않고 그대로 복부 즈음을 즈려 밟으면서 내려앉았다. 컥! 하고 숨이 터져 나오는 듯한 비명이 들렸지만 개의치 않았다. 영석은 떨어지면서 권총의 잠금 장치를 걸고 바지의 허리춤에 꽂아 넣었다. 양 손이 자유롭다면 할 수 있는 게 참 많았다.

영석은 그대로 선 자리에서 다섯 명 정도의 인간들을 마주하게 되었고, 하나같이 황망한 눈동자를 하고 있었다. 사람을 상대하고 있는 표정들은 아니었다. 김영석이 반대의 입장이 되었다고 하더라도, 아마 비슷할 것이다.
그 역시 일반적으로 싸움에는 도가 튼 인물이었고, 나름대로 수라장이라는 것을 몇 번이고 거쳐 온 인간이었는데도 말이다. 그가 생각하는 상식에도 한참이나 벗어난 수준으로 움직이고 있었다.

거친 운동을 한 셈이었지만 호흡은 조금도 가빠지는 것이 없었다. 도리어 지독하게 안정적이었지. 심폐지구력이나 근지구력, 단번에 힘을 집중시키는 임팩트의 파워풀함까지 무엇 하나 떨어지는 것 없는 신체였다. 원래 인간의 내구성이나 근력이 이렇게 발휘 가능한 것인지 의문이 들 정도이다.

어쩌면 폐기되었어야 할 Fa-1123은 진정한 초인약에 가까운 과학적 업적, 시대의 대발견이었는 지도 모른다. 단순히 그것만으로 설명하기에는 석연찮은 부분이 많기는 했지만.

쾅! 하는 소리가 났다. 주먹을 맞은 상대는 그렇게 느꼈다. 땅 위에 양 손이 자유로운 상태로 떨어져 내린 영석의 앞에는 거구의 덩치 친구가 있었다. 인상이 험악했고, 누가 보아도 조폭이 아닐까 싶은 수준의 외견이었다. 민머리에 더러운 눈빛, 거구의 몸집을 하고 있었다. 영석은 그대로 안면에 주먹을 꽂아 넣었다.

만화에서처럼 움푹 들어가는 주먹이었고, 그대로 하악下顎이 함몰되어 버렸다. 뇌진탕이 일어난 것은 동시였다. 사내는 주저앉았고, 그 다음 사람이 영석을 맞이해야 했다. 너클을 끼고 있지는 않았다. 품 속에는 갖고 있었다. 눈 앞에 남은 네 명 정도를 상대하는 데는 숨 몇 번 고를 정도의 시간과 맨 손이면 충분할 것 같았다.

영석은 그대로 달려 들어서 어리버리한 표정으로 사태를 파악하지 못한 마른 놈을 감싸 안았다. 부드러운 포옹은 아니었다. 그대로 집단을 형성하고 있는 놈들 틈으로 파고 들어가서, 그 목덜미 부근을 팔로 감싸면서 뒤로 빠지는 것이었다. 그대로 밀고 들어가는 영석을 당해내는 놈이 없었다.

조금 거리를 벌리고 남은 놈들이 칼을 들고는 있었지만 섣불리 휘두르지 못했다. 다시 반대 쪽으로 빠져나오면서 영석은 그대로 팔뚝에 힘을 주어 경동맥을 압박했고, 상대는 완벽하게 걸린 조르기 자세에 혈류가 막혀 블랙 아웃을 경험할 수 밖에 없었다. 아찔한 경험이었고, 키가 크고 말랐던 차분한 인상의 사내 하나는 그대로 기절했다. 영석은 얼마 남지 않은 놈들에게 다가갔다.

한 놈은 툭, 쳐서 턱을 갈긴다. 칼을 들고 다가오는 놈을 빤히 바라보다가 기절하는 놈의 몸을 휘, 돌려 그 팔뚝을 내어주었다. 상대가 휘두른 나이프에 그가 턱을 쳐서 기절시킨 마른 인상의 사내의 상완이 깊게 베여버렸다. 예상치 못한 피와 손맛에 상대방이 움찔할 때, 영석이 그대로 앞에 있는 사내의 등을 뻥, 차버렸다.

마치 날아가듯이 앞으로 밀린 사내의 기절체는 그대로 칼을 들고 있는 놈의 몸을 덮치면서 넘어졌다. 수십 키로그램은 족히 되는 방해물에 사내는 그만 균형을 잃고 같이 뒤엉켜 넘어지고 말았다. 그 사이에 영석은 옆으로 돌아 뛰고 있었다.

그가 서 있는 바닥은 평범한 부지의 골목길, 포장 도로가 아니었다. 사람이 여기저기 널브러지고 서로 겹쳐서 깔려 있는 입체적인 바닥이었지. 그게 조직원들이 영석에게 섣불리 다가와 칼을 맞추지 못한 이유도 되었다. "끄윽……."하고 영석이 바닥 대신 그들의 몸 어딘가를 밟을 때마다 신음 소리를 내는 것 같았다.

영석은 자신이 밀어버려 넘어지는 두 명이 완벽하게 쓰러지기 전에, 마지막 남은 놈의 곁에 다가가 그의 칼을 피하고 그대로 목을 졸라 기절시킬 수 있었다.

"씹, 잡아!"

하는 먼 소리가 조금 가까워졌을 때, 영석은 마지막으로 넘어뜨렸던 놈 중 기절하지 않았던 녀석의 면상을 즈려 밟으며 그대로 넋을 잃게 만들어주었다. 강한 내려 찍기는 체중이 실리는 것이었고, 비정상적인 근력으로 행해지는 일이라 생명이 위험할 정도의 충격이었지만, 간신히 죽지는 않고 정신을 잃는 것으로 마무리 되었다.

아마 이곳저곳이 골절상이나 타박상 등 상당한 충격을 입었을 것 같았고, 영석은 넘어진 조직원들의 무더기 속에서 그나마 눈빛이 멀쩡해 보이는 놈 한 둘을 더 즈려 밟으면서 뛰었다. 이제야 고작 십 수 명 정도, 잘해야 스무 명 정도를 넘어뜨렸을 것이다. 백여 명에 가까운 조직원들은 많이 남아 있었다. 골목 멀리에서 그를 쫓는 놈들이 더 다가온다.

십자선 모양의 골목길 여기저기에서 인간들이 밀려 들어온다. 폐공장 지대인 블록 바깥으로 나가는 길목, 영석이 서 있는 전방의 도로만이 비어 있었다. 일단 영석은 그쪽으로 뛰었다.

탕, 타탕! 하고 뒤에서 시끄러운 총격 소리가 들렸다. 이미 이성을 잃어버린 것 같았다. 더 이상 총을 갈겨대다간 이제 농담으로 끝날 일이 아니리라. 영석은 그대로 빈 골목을 주파했고, 방탄 조끼나 등의 컴팩트한 배낭에 여러 장구류를 넣어놨음에도 다람쥐보다 빠른 속도로 뛰어 자취를 감추었다.

순식간에 먼 골목 바깥으로 방향을 틀어 사라지는 그를 보면서, 가까스로 같은 특작조원들이 시체처럼 쓰러져 있는 곳에 다다른 조직원들은 분통을 터뜨렸다. "씨팔!" 강한 욕을 내뱉으면서 화를 내는 인간들은, 어쩌면 두려움에 대한 다른 표현을 하고 있는 것일 지도 몰랐다.

그렇게 화를 내야만 그들을 농락하고 죽인 괴물같은 인간을, 잡을 수 있고 그와 대등하게 싸울 수 있다고 여겨질 지 몰랐다. 그들 스스로도 말이다.

영화같은 일, 은 연출된 장면에서나 보여지기에 현실과는 동떨어진 세상의 것들이었다. 때론 비정하고 잔혹한 일들이 영화나 소설보다 더 심각하게 현실에서 일어나고는 하지만, 어떤 종류의 상상이냐에 따라서 다른 섬들이 많았다.

개중에서도 '액션' 따위의 장르가 된다면 그건 현실에서 보기에는 도저히 불가능한 일이 될 것이다. 그런데 그런 모습을, 백 여 명의 특작조원들이 있는 조직의 아지트에서 두 눈으로 목격했고, 그들은 적의 얼굴조차 제대로 확인하지 못했음에도 수십 여 명의 조원들이 바닥에 드러누웠다. 죽은 놈도 있었고 산 놈도 있었지만, 엉망으로 당했다는 사실 하나만은 똑같이 공유했다.

보스, 전호식과 비서 김서령을 제외하면 특작조에서 가장 입김이 세다고 할 수 있는 김철형, 이 두려운 눈빛을 감추면서 입을 열었다.

"……씨바 애들 시켜서 저 새끼 뒤 쫓게 하고, 나머지는 누운 놈들 시체 처리한다. 4567조가 흩어지지 말고 모여서 쫓고 나머지 뒷정리한다. ……움직여."

사오육칠 조, 라고 발음한 이들의 수는 약 3, 40여 명 정도였다. 122명 총원의 특작조는 11개 조로 편성되어 있었고, 조마다 그 수가 달랐다. 1조의 조장이라 할 수 있는 김철형이 특작조에서 가장 서열이 높은 인간이었고, 조직에서 받는 급여 역시 제일 높았다.

비상 상황이었고, 그나마 명령을 제대로 내리는 김철형에 의해서 일단 그들은 움직였다. 폐건물 지역에 그들 조직이 점거하고 있는 인근이라고는 하지만 조금만 더 멀어져서 시내 근처가 나오면 봉변이었다.

나중에 조직에 어떻게 말을 해야 할 지도 몰랐고, 아니 그 이전에 그들에게 대체 무슨 일이 일어난 것인지도 알 수가 없었다. 순식간에 김철형은 그의 상관을 잃었다. 비령 그룹에 원한이 있는 초월적인 존재가 난동을 부린다고 밖에 생각할 수 없는 일을 겪은 그였고, 그건 상식적으로 이해되지 않는 일이다.

최근 비령 그룹의 금융사와 제약사의 사장이 모조리 목숨을 잃은 것을 그들 모두가 알고 있었다. 그들은 연속적으로 벌어지고 있는 일련의 사태에 대해서, 두려움을 느낄 수 밖에 없었다.

조직원들이 흥분과 두려움, 놀람 속에서 진정시키지 못한 심장을 간신히 추스르고 일단 움직였다.
영화 속에서 히어로로 등장하는 주연 배우들과 멋있게 결투를 하는 악역들 역시 영화 속의 인물들이었다. 일반적인 경우라면, 그런 적들 역시 목숨을 잃기를 두려워하며 공포와 고통에 시달리는 인간에 불과했다. 김철형은 당장 진통제나 마약류를 꽂아 넣고 싶은 강렬한 충동에 시달렸다. 트라우마가 될 것 같은 장면들과 기억이었고, 당장 잊고 싶었지만 해야 하는 일이 떠오르기에 멈출 수가 없었다.

일단은 아지트로 돌아가고, 조직원들의 시체 따위를 정리하고 조직에 연락을 해야 했다. 비령 엔터에는 그래도 인력이 많이 있었다. 다른 조직원들을 부르고 뒷정리를 최대한 하고, 그리고 그룹의 본사 쪽에 연락을 해야 할 지도 몰랐다. 그가 비령 엔터테인먼트의 2인자는 아니었지만 적어도 중간 간부 정도는 되었다.

살아남은 다른 임원진들과도 얘기를 해보아야 할 테였다. 그는 눈 앞이 깜깜하다고 느꼈고,

탕!

그리고 어디선가 들린 총성에 정말로 다시는 어둠밖에 볼 수 없는 처지가 되어버렸다.

*

12. 제인 메리어트

탕!

하고 총을 쏜 김영석은 다시금 자취를 감추었다. 그가 한 스무 명 정도 죽인 것 같았는데, 골목의 사잇길에 모여 있는 무리들이 여전히 수가 많았다.

앞서서 이야기를 하는 듯한 간부, 김철형의 두부를 꿰뚫은 총격 이후에 그는 재빠르게 움직여 도망쳤다. 김철형이 허물어지는 것을 본 직후였다.

김철형이 있는 장소에서 대각선 위쪽으로 사선을 쭈욱 뻗으면 있는 곳이었고, 사실 총열을 조금 길게 한 권총이라 하더라도 거리가 애매했으나 아슬아슬하게 닿은 모양이었다. 김영석은 그대로 폐건물의 3층 부근에서 옥상으로 뛰어 올라갔다.

낡고 사람 없는, 더러운 먼지 투성이의 계단과 옥상으로 향하는 문을 벌컥 열고 지나 밝은 햇살이 내리쬐는 옥외에 다다른다. 그 자리에서 그대로, 별다른 기구도 없이 맨 몸으로 옆 건물을 향해 뛰었다.

영화라도 찍는 양 훌쩍 날았고, 몇 번의 낙법은 낙차로 인해 생겨나는 충격을 훌륭하게 줄여주었다. 몇 바퀴를 굴러대고 나서 다시 능숙하게 일어나는 김영석은 그대로 퍼즐 게임이라도 하듯, 자신이 달아날 수 있는 정도의 높이를 가진 건물들을 골라 그 지붕과 옥상 위를 뛰어 다니면서 폐건물이 모여 있는 옛 공장 지대에서 멀어진다.

김철형의 죽음을 또 한 번 눈 앞에서 본 조원들은 패닉에 빠졌고, 우왕좌왕 하면서 그 주변을 수색했다.

이후, 김영석은 완전히 그 자리를 빠져나간다.

바깥에 세워두었던 전동식 오토바이를 타고 차도를 따라 시외곽

쪽으로 빠졌고, 배낭에 넣어두었던 바지 따위로 옷차림을 새롭게 바꾼 뒤에야 다시 시내로 들어와서 정황을 살폈다.

하루가 지나기 전에 뉴스 속보가 TV를 통해 알려졌다. 비령 그룹 내의 저력으로도 온전히 막기 힘든 소식들이었는지, 서울시 외곽 부근의 폐공장 지역에서 조직 폭력배들의 집단 교전이 있었다는 단신이 흘러나왔다. 더 이상 자세한 내용은 없었고, 비령 그룹이라는 단어도 전해지는 문장에 들어 있지 않았다.

아무래도 나름 다른 조직원들이나 윗선이 청탁을 통해 뒷수습을 하려고 했으나 완벽하게 막지는 못한 듯, 또 지나치게 큰 소란을 일으켜서인듯 슬슬 서울에 흉흉한 분위기가 감돌고 있었다.

사람들이 잘 지나다니지 않는 지역이라고는 하더라도 엄연히 서울 내부였고, 익숙한 도시에서 그런 일이 공공연하게 벌어졌다는 게 사람들의 경각심을 불러 일으켰다.

시민 전체의 분위기는 결국 정치가들이 가장 신경 쓰는 것이 아닐 수 없었고, 자연스럽게 비령 그룹 내부로도 자중하라는 압력이 들어온다.

경찰 인력들도 이전까지 너무 큰 덩치의 범죄 조직을 방치하던 것에서 조금씩 전방위로 압박해 들어오는 움직임을 취할 수 밖에 없었고 말이다.

김도건은 다시금 그룹과 연이 닿은 유력자로부터 불편한 전화를 받으면서 스트레스가 쌓일 수 밖에 없었다.

*

"······예, ······예. 알겠습니다. 바로 준비하겠습니다. ······예."

비령 그룹의 회장직을 맡고 있는 김도건이 그렇게 저자세로 이야기를 할만한 자가 많지는 않았다. 물론 조직을 초월한 권력을 갖고 있는 사회의 거물들에게는 마음대로 뻗댈 수 없기는 하다.

한국의 조직 폭력배의 정점에 다다랐다고 할 수 있는 자리이지만, 아이러니하게도 다른 종류의 힘에는 도리어 더 민감하게 엎드려야 하는 처지가 되는 셈이다.

결국 비령 그룹이라는 범죄 조직이, 이 한국 사회에 존재하는 기본적인 공권력을 넘어설 수 없다면 어쩔 수 없는 일이었다.

국가의 치안과 공권력을 사적인 범죄 조직이 넘어섰을 때 일어나는 일 따위는, 갱단 따위가 들끓는 남미의 어느 국가나 혹은 여러가지 재해와 쿠데타 따위로 치안이 엉망이 된 여러 국가들을 보면 알 수 있으리라.

한국은 그래도, 나름대로 치안과 체제를 유지하고 있는 선진국이었다. 뒷골목에서 자라 그럴싸한 외형을 갖추게 된 비령 그룹은 자랑스러울 정도의 구색과 성과였지만 진지하게 그들이 어떤 대업을 이룰 수 있느냐고 묻는다면, 어려운 게 사실이다.

도건을 비롯해서 수많은 작자들은 무언가를 부수는 인간들이지, 새롭게 건설하는 자들이 아니었으니까 말이다. 할 수 있는 건 고작해야 누군가를 죽이고 협박하는 것이었고, 그저 물쓰듯 돈을 사용하면서 기술자들을 고용하고 사업가를 부리는 일은 가능했지만 그 이상의 성과를 낼 수는 없었다.

도건은 그런 의미에서 자신의 한계와 능력을 잘 파악하고 있는 자라고 할 수 있다. 범죄 조직이 커지기 위해서 양지에 자신의 땅을 갖고 있는 지주들의 협력과 도움이 필수적으로 필요하다.

그런 양지의 부자들 중 한 명이, 지금 도건이 전화 통화로 집무실에서 이야기하고 있는 상대였다.

양화 기업이라는, 중견의 기업이 있었다. 대기업의 말석 정도 들어가는 곳이었고, 재계 서열로 치자면 그렇게 알아주는 곳은 아니다. 그러나 분명히 한국 사회에 충분한 영향력을 끼치고, 사내 유보금이니 혹은 그 회장이 쌓아둔 사적인 재산이니 하는 것을 따진다면 여러 종류의 일을 할 수 있었다.

양화는 그렇게 양심적인 기업은 아니었다. 식품 사업을 비롯해서 여러 종류의 사업을 하고 있는 기업이었고, 자신들의 이익을 위해서라면 업계나 사회에 끼치게 될 불이익에 대해서는 크게 고려하지 않는 면이 있었다.

그들이 최고의 대기업이 아니기에 할 수 있는 발상인지도 모른다. 그렇게 쉽게 움직이는 자들이 최대의 영향력을 가진다면, 결국 사회가 붕괴하는 것이 자신들이 바라는 야욕을 실천하는 일보다 선행될 것이기에 말이다.

어쨌건 양화는 뒤로 비령 그룹과 통하고 있었다. 그들 뿐만이 아니라 야당의 어느 의원, 혹은 여당에 속해 있는 원로 의원 등. 정치가들도 몇 있었고, 양화 외에 외국계에 강력한 사업적 지분을 갖고 있는 재외 사업가나 혹은 해외의 사업체들, 한국보다는 도리어 글로벌 시장에서 강세를 보이고 있는 이류 기업의 기업가쯤 되는 자들이 비령 그룹과 얽혀 있는 자들이었다.

그들 모두가 각자의 위치에서 최고라고는 말하기 어려웠다. 정말로 선두를 달리고 있는 그룹이라면 자신의 분야에서 사업을 계속해나가 더 큰 이익을 도모하려고 하지, 다른 길에 눈을 돌리지는 않을 테니까 말이다.

비령 그룹과 함께 일을 하는 것은 리스크가 크지만 수익성이 높았다. 또한 미래가 별로 없다는 게 크다. 단기적이지만 큰 이익을 추구하는 것은 가능성 없는 소인배들이 택하는 행위였고, 비령 그룹이라는 이름 아래 함께 모인 자들은 대개 그럴 지 모른다.

어쨌건 그런 자들 중에서 양화 기업의 회장, 유종진은 도건에게 불편한 상대였다. 자신보다 연배가 훨씬 높은 것도 있었고, 비령 물산을 비롯해서 유통 사업 쪽에 막대한 지분을 갖고 도움을 주는 것도 있다.
또한 조직 내부의 가장 큰 사업이라 할 수 있는 마약 사업에 다양한 루트를 제공하고 이익금의 일부를 받아가고 있는 대주주 중 한 명이기도 하다.

비령 그룹 내적으로 받는 이익보다 그들이 얻는 이익이 더 크지는 않았지만, 어쨌건 비령 그룹의 회장임에도 불구하고 불편스런 눈치를 봐야 하는 인간이라는 게 도건으로서는 그다지 마음에 들지 않았다.

그의 마음과 현실은 늘 다른 것이라서, 자세는 공손하게 표현해야 했지만 말이다.

"…예, 회장님. 1일날 뵙겠습니다."

마지막 대답으로 전화를 끊은 김도건은 핸드폰을 내려놓고 머리를 감쌌다. 절로 한숨이 나오는 상황이 아닐 수 없었다. 만일 신이 있다면 그에게 왜 이러는가.

양심이 없는 한탄일 수도 있었다. 그가 살기 위해 저질렀던 무수한 살인과 범죄들을 생각한다면. 싸이코패스처럼 그것을 묻어두고 다시금 한탄을 한다면,

김도건은 깊은 한숨처럼 혼잣말을 뱉었다.

"……이런 씨팔."

회장실 내부에는 아무도 없었다. 비령 IT. 나름대로 전 세대에 유명했던 IT계열 기업의 본사와 인프라를 그대로 흡수한 기업체였다. 시대의 흐름에 따라가지 못하고 헐값으로 나온 매물을 그들이 사들였고, 풍족한 재원으로 많은 기술자들을 영입해서 그럭저럭 성과를 내고 있었다.

그 내부에는 블랙 해킹이나 전자화폐의 시가 조작등 다양한 짓거리를 하는 자들도 있었다. 아시아 전역에 있는 범죄 조직들이 모이는 블랙 마켓의 교두보를 웹사이트의 형식으로 운영하기도 했고, 거기에서 나오는 수수료 역시 상당한 액수였다.

웹사이트 상의 페이지였지만 실제로 사람의 목숨이나 현물이 왔다갔다 하는 도박장에 불나방처럼 몰려 들어오는 인생을 져버린 불나방들도 많이 있었고.

어쨌건 다양한 방식으로 돈을 긁어 모아 나름대로 업계에서 실력 좋다는 인간들을 불러 일하고 있다. 겉으로 드러나는 비령 IT 자체도 그럴싸한 중견 기업이었다.

회장직에 앉아 홀로 넓은 방을 사용하고 있는 그는 그런 '잘 되어 가는' 사업의 증거이기도 했다. 쾌적한 실내 인테리어와 업무 환경과는 달리 나날이 스트레스만 쌓여간다.

비령 그룹이라는 큰 짐을 안고 있었으니까, 그 무게감이 남다르기는 하다. 떡고물을 가장 크게 받아먹을 수 있는 자리라지만 그 돈을 노리고 달려드는 이리들로부터 자신의 목숨을 지키는 게 큰 일이었던 탓이다.

그런데 지금의 상황은, 그것으로부터도 다소 벗어나 있었다.

서울 구각동에서 벌어진 일련의 집단 살인은 그의 생각 밖의 일이었다. 비슷한 일이라면, 각 계열사의 조직원들이 서로 감당할 수 있는 장소에서 일어났어야 했다. 적어도 목격자는 없어야 하지 않겠는가.
외부자들의 눈과 귀가 닿지 않는 곳. 계열사가 소유하고 있는 건물 따위를 밀실로 만들어둔 뒤 그 곳에서 일을 처리한다던가.

주변에 출입 통제를 한 뒤에 철저히 일을 벌인다던가. 그런 것들이 그나마 그들 사이에 통하고 있는 상리였고 상식이었다. 그러나 서울 외곽에서 벌어진 공장 지대의 대규모 살인은 아예 논리를 벗어난 이야기였다.

비령 엔터테인먼트는 마약 사업의 유통 유포, 확대를 위해서 활약하고 있던 단체였다. 엔터를 맡고 있는 전호식은 그룹 내에서도 상당한 입지를 가진 인간이었다. 한국 사회의 사교계라고 할 수 있는 연예계를 통해서 뻗어나갈 수 있는 가지가 여러 갈래였으니까 말이다.

그들의 영향력을 사용해서 온갖 사업을 뒷받침 할 수도 있었고, 여태까지 연이 없던 새로운 분야와의 도개교 역할을 할 수도 있었다. 가급적이면 앞으로의 일을 위해서 전호식과 그 연예사는 살아남았으면 하던 게 김도건의 생각이었는데.

전호식은 죽었다. 의문의 인물에게 살해당했다고 한다. 아니, 사실 의문도 아니다. 이번 역시 그를 죽인 범인의 인상착의는 버젓이 드러나 있었다. 그러나 그것이 더욱 말이 안되는 일이기에 사실같지 않게 느껴진다.

갑자기 비령 엔터의 특작조들이 모여 있는 아지트로 침입해서 전호식을 죽이고, 십 수 명을 무참하게 살해한 뒤 흔적도 없이 도주한 인물의 인상착의는 김영석의 그것과 똑같았다.

한 번 죽였던 부하가 살아 돌아와서 이 난리를 피우고 있다는 이야기다. 김도건이 비령 물산의 몰락과 목진형, 김영석의 죽음에 관여를 한 바는 아니었다. 그러나 적어도 알고도 방관을 하기는 했다.

어차피 자기들끼리 내부적으로 그릇 싸움을 하는 것이었으니까. 주관자이자 개들의 주인 역할을 맡고 있는 김도건은 개들끼리 물어 뜯는 것을 말리지 않았다.

도리어 그들끼리 서로 피튀기는 경쟁을 통해서 상처가 나고 약해지는 걸 반겨하고 있다.

여태까지 간부들도 머저리들은 아니라서 연합 작전을 펼치고 있었다. 정확한 정보가 있을 때 움직이는 것이고, 서로의 뒤를 치기 위해서 빈틈을 노리고 있다. 내부 항쟁이 지연되어 가는 와중에, 다시 한 번 간부가 죽은 일이다.

더군다나 서울 시외곽이라고는 하지만 버젓이 시내에서 벌어진 일에 경찰 쪽도 눈을 돌릴 수 밖에 없었다. 비령 그룹이라는 존재를 알기는 하지만 그들이 아직까지 일부러 손을 대지 않던 것을 그 역시 깨닫고 있다.

경찰과 비령 그룹은 밀월관계 까지는 아니어도 불편한 이웃 정도로는 유지되던 사이였는데. 국민적 여론이 범죄 조직의 소탕을 원한다면 다소의 소모나 희생을 안고서라도 총력전이 될 수 밖에 없었다.

경찰 조직의 총력이 투입되기 시작하면 결국 수 천 명의 조직원이고 뭐고, 쓸려갈 수 밖에 없었다. 상황이 최악으로 치닫으면 양화 사社를 비롯해서 다양한 투자자들도 발을 뺄 것이었다. 그게 김도건이 생각하는 최악의 상황이다. 어떤 식으로든 비령 그룹은 살 길을 모색해야만 했다.

최대한 공론화되지 않으면서 아버지 대로부터 세운 금자탑을 지키는 것. 김도건이 생각하는 사명이었다. 자신의 목숨을 지키면서 그것까지 함께 할 수 있을는지는 모르지만 말이다.

김도건은 당장 언론계에 연이 닿아 있는 모두와 연락을 했고, 간신히 생각보다는 일을 빠르게 무마할 수 있었다. 엔터 사의 아지트가 있던 구각동으로 갈 수 있는 가장 빠른 위치에 있는 조직원들이 협력해야 했다. 시체들을 치우고, 흔적을 지우고.

결국 언론에 나올 정도의 살인 사건으로 조사를 받게 되어, 엔터 사의 특작조원들 중 상당수가 일단 수감되었다.

김도건은 신경성 위염으로 아파오는 복부를 참으며 다방면으로 수소문을 하고 일처리를 해야 했다. 젠틀하게 빗어진 머리가 벗겨질 것만 같은 기분이었다.

대강 좆대로 살고, 좆대로 죽는 일이 대부분인 조직의 보스가 왜 이런 고민을 해야만 하는가, 심히 의문이 들기도 했지만 어쩔 수 없었다. 죄를 저지르면서도 호의호식을 누리며 살고자 하는 그의 욕망이 괴로움을 불러 일으키는 근원이었지만, 그는 두 가지 다 놓을 수는 없는 인간이었으니까.

해당 건으로 양화의 유종진 회장에게 평소보다 조금 더 굽실거리고, 부담스런 조언을 받아야만 했다. 당장 만나기로 했던 9월 1일의 약속 또한 평소보다 불편한 자리가 되리라.

김도건은 자신의 골머리를 썩이고 있는, 김영석이라는 인간을 처리하기 위해 궁리를 하기에 이른다.

*

"어서 오게."

김도건이 김영석의 종적을 잡아내고 처리하기 이전에 유종진 회장을 만나러 왔다.

　서울 시내의 고급스런 호텔, 따로 룸 형의 레스토랑을 빌려 만나고 있는 둘이다. 유종진이 먼저 앉아 있었고, 그 다음 김도건이 자리했다.

　김도건도 그리 늦은 건 아니었고, 도리어 상리보다 더 일찍 자리해서 30분 앞선 시간에 도착했다. 그보다도 먼저 와있던 유종진의 얼굴을 보고 도건은 인상을 구기지 않기 위해 노력해야 했다. 빌어먹을 영감은 자신을 놀리기 위해서라도 그렇게 하는 건지, 회장 답지 않은 의외의 짓거리를 할 때가 많이 있었다.

　비령 그룹의 정당한 후계자, 또 현직 회장이 이런 취급을 당해야 할 이유는 없었지만. 상황이 어려울 때는 어쩔 수 없다. 유종진은 더부룩한 쳇기가 있는 듯한 인상을 하고 있는 인간이었다. 그에 어울리는 튀어나온 배에, 전형적인 중장년 정도 사내의 체형이다.

　미리 한 켠에 앉아있던 그는 일어서지 않고 슬쩍 손으로 그를 반겼다. 거의 날아간 머리에, 약간의 수염을 멋스럽게 기르고 가꾸고 있다. 날카로운 인상에 안경은 쓰지 않았고, 코는 높았다.
　그는 회색의 정장을 입고 있었으나, 또 단추는 풀고 안에 입은 셔츠도 약간은 큰 사이즈를 입은 것 같았다. 포멀한 차림새를 의도한 것인지 아닌지 알 수 없는 꼴이었다.

　넥타이도 매지 않았고, 어디 친근한 회사 과장, 부장 정도의 인상이었지만 그가 입고 있는 옷은 분명 수제작으로 만들어진 명품 브랜드의 고급스런 옷이었고 또 슬쩍 보이는 시계는 손목에 걸려 있기엔 지나치게 비싼 가격대의 것이었다.

주름진 유종진의 얼굴과 그 인상을 보면서 도건은 자신 역시 마주 웃었다. 그의 손짓에 따라 고개를 숙여가며 인사를 건넸고, 그 다음 마주 앉는 도건이었다.

도건 역시 적은 나이는 아니었으나 유종진에 비하면 연배가 아래다. 부친이었던 김도형에 비하면 유종진이 어렸으니, 도건으로 보자면 큰 형이나 삼촌 즈음 되는 차이일 것이다.

여러모로 비령 그룹의 성장과 유지 발전을 도와주고 있는 투자자들 중에서, 가장 손이 크고 깊게 연관이 되어 있는 작자라고 할 수 있었다.
어려운 일이 생긴다면 종진에게 상담을 요청하는 것도 그리 의아한 일은 아니었다.

"……예."
"젊은 사람이 빨리 빨리 다니지 좀 그랬어."
"…죄송합니다."

도건은 괜한 소리로 자신에게 핀잔을 주는 종진에게 별다른 대꾸하지 않고 사과했다.

흰 천으로 깔끔하게 덮인 테이블이었다. 제법 큰 크기였고, 종진의 자리에서 통창으로 이루어진 바깥이 바라다 보인다. 서울 시내의 전경과 한강이 한 눈에 들어오는 좋은 자리였다. 도건은 경치를 뒤로하고 종진의 얼굴을 보고 앉는 자리다.

테이블을 두어 개 더 놓고 의자를 많이 가져온다면 열댓명도 식사를 넉넉하게 할 만한 방이었지만 지금은 한 개의 테이블과, 두 의자 뿐이었다.

김도건이 들어오자 문 근처에 서 있던 웨이터가 주문을 확인하고 나간다. 그들이 예약한 시간까지는 아직 조금 남아 있었는데, 미리 요리를 시작해 가져올 것이다. 그 전까지 여유롭고, 누군가에게는 불편하게 사내 둘이 마주 앉아 이야기를 나누어야 하리라.

도건은 자리에 오면서 당연히 많은 조직원들을 데려 왔다. 회장직에 있으며 항쟁 중이었고, 언제 누가 노릴지 모른다는 생각은 그를 편집증적인 안전주의자로 만들게 된다.

마치 이전에 최기욱이 그러했듯, 커다란 차에 호위를 늘 대동하고 있었고, 그 주변으로도 마치 의전 차량인 양 호위조 인력들을 배치해 함께 다닌다.
낭비처럼도 보이지만, 위험한 시기에는 어쩔 수 없었다. 누군가 행세를 하는 것인지 정말 죽음에서 살아 돌아온 것인지 모를 김영석의 복수도 생각할 수 밖에 없었고 말이다.

유종진도 평소에, 비령 그룹에서 제공해주는 호위조를 몇 명인가 데리고 다닌다. 따로 사비를 들여 호위 인력을 구성하기도 하는 회장이었지만, 최근에는 그 역시 신경 쓰이는 구석이 있는지 대동하는 사람 수가 늘었다.

전문적인 훈련을 받은 엘리트 호위 인력과 비령 그룹에서 김도건이 보낸 조폭들이 섞여서 그의 주변에 같이 다니고 있었다.

방 안에도 곧장 문을 열면 유종진의 호위 인력이 두 명 있었다. 김도건을 따라온 자도 한 명이 있었고.

호텔의 15층 높이에 있는 레스토랑 룸이었고, 그 중간 즈음인 7층 라운지에 호위 인력 몇 명이 있었다. 그리고 마지막으로 타고 온 차량 근처, 지하 주차장에 여러 명이 대기하고 있었고.
각자가 무전기를 들고 곧바로 연락하기 위해 긴장감을 유지하고 있다.

서울 시내 한복판에서 암살을 당한다는 게 우습기도 하지만, 마냥 웃기는 일은 아니라는 것이 그들이 겪는 현실이었다. 한낮에 대로변에서 죽임을 당하는 것도 불가능하지는 않다. 치밀한 작전과 집요한 악의가 있다면 얼마든지 가능하고, 실제로 김도건 역시 그렇게 누군가를 처리한 전력이 있었다.

대담한 손과 의지가 있다면 얼마든지 가능했다. 유종진과 김도건이 갖는 약간의 권력은, 소란이 커지지 않는다면 그런 사건을 무마할 정도는 되었다. 언제 곪은 상처가 터져 나올 지는 또 모를 일이지만 말이다.

"…사업 얘기를 좀 해야지. 자네의 경영권과 안전을 보장해주면 비령 그룹의 지분을 우리에게 넘기겠다고 했지."
"……예."

도건이 무겁게 고개를 끄덕거렸다. 당연히 모두 넘기겠다는 뜻은 아니었다. 그러나 유종진이 갖고 있는 힘은 나름대로 쓸만한 것이었고, 현재 그룹을 유지하는 데 필요한 다양한 유력자와 투자자들 중에서 가장 입김이 센 그의 전폭적인 지지를 받는다면 도건이 살아남는 데 확실히 도움이 될 것이다.

범죄 조직의 보스가 일반적인 호위 인단을 꾸리기도 난처한 면이 조금 있었는데, 종진의 도움을 받아서 전문적인 경호 인단을 지원 받아 배치하려는 속셈도 있었다. 지금까지보다 더욱 더 체계적이고 전문적인 방식의 경호가 시작될 것이다.

얼마나 많은 돈이 들던 상관은 없었다. 김도건은 자신의 안위가 가장 중요했으니까.

조직의 내밀한 구석을 모르는 외부인, 민간인을 조직 내 항쟁에서 보호막으로 사용한다는 게 꺼림칙한 면이었지만, 유종진 역시 비령 그룹과 연이 깊은 자였으니 그가 알아서 해주리라 믿었다.

종진이 전폭적인 투자로 많은 입김을 미치고 있는, 단골 업체가 있었고 그들 중 일부를 김도건에게 보내 줄 생각이었다. 유종진으로서는 말이다.

그리 어려운 일도 아니었고, 그저 문서 상의 약속만으로 비령 그룹이라는 단체의 많은 지분을 얻게 된다면 아주 남는 장사라고 생각했다. 종진으로서는 그룹의 회장이 누가 되는 사실 큰 의미는 없는 일이었지만, 적어도 말이 통하고 안면이 있는 자가 계속해서 집권을 한다면 쓸 데 없는 소요나 비용이 줄어드리라는 계산도 있다.

두 악인은 이해 관계가 일치했고, 별다른 실랑이 없이 결론에 다다를 수 있었다. 물론 지분 등 보상을 얼만큼 해주느냐, 에 대해서 다소의 의견 차가 있기는 했지만 크지는 않았다. 현재 유종진이 갖고 있는 비령 그룹 내의 지분은 7%였다. 회장인 김도건이 갖고 있는 것이 41%였고, 다른 그룹 내 조직 간부들의 전체를 합치면 30%정도가 된다. 나머지 20여%는 종진이 아닌 다른 투자자들이 소규모로 나눠 갖고 있었다.

투자자들은 각계에 분포해 있었고, 대개 회장인 김도건을 통해서 비령 그룹과 커뮤니케이션을 하고 각 계열사와 연을 맺는다. 간부들 중 일부가 배신을 꿈꾸면서 투자자들을 포섭할 계획을 꾸릴 수도 있겠지만, 그러기 위해서 최소한 각 계열사의 중진들이 모두 하나의 의견으로 합치되어야 하리라.
이후에 투자자들 중 일정 수를 끌어들여야 하는데, 도건이 개인적으로 긴밀하게 연을 맺고 있는 이들만 하더라도 확실하게 5%는 넘었다. 여기에 유종진의 절대적인 지지를 약속받는다면 일단 경영권에 대한 문제는 없으리라.

물론 비령 그룹이 일반적인 기업도 아니었고, 여차하면 뒤를 노리는 이들로 굴러가는 곳이었지만, 다른 놈들과 달리 도건으로서는 유종진이라는 든든한 뒷배가 있었다. 사회적으로 비리를 제외하더라도 충분히 거물 그 이상인 유종진에게서 사병이랄 수 있는 인력들을 지원 받아 버틴다면 그들도 별다른 수가 없을 것이다.

범죄 조직의 깡패들이 어디 경찰에게 도움을 청할 수도 없을 것이고, 김도건처럼 특별한 인맥을 만들기에도 어려움이 있을 테니. 그들이 합심을 해서 킬러라도 고용을 한다면 다소 고생을 하겠지만, 그런 작자들로부터 요인을 경호하기 위해 특별한 훈련을 마친 이들이 종진이 다루는 자들이었다.

"…그, 초인약에 대한 이야기는 어떤가?"
"……예?"

종진이 먼저 이야기를 꺼내자, 도건은 당황한 기색을 감출 수 밖에 없었다.

얼마 지나지 않아 그들이 앉아 대화를 나누는 자리에 식사를 가져다 주는 웨이터들이 왔고, 그들의 앞에는 메인 디쉬가 놓여진 상황이었다.

잘 구워진 한우 안심 스테이크의 일부를 썰면서 종진이 아무렇지 않다는 듯 이야기했다. 도건은 자신이 잘못 들었는가 싶어서 반문을 했고. 도건을 바라보는 종진의 눈빛은 자못 날카로운 것이었다. 늙은 장년인의 눈빛은 어딘가를 노려보고 있었다. 도건을 보는 시선이지만, 그가 바라는 건 그 너머에 어떤 초월적인 것이다.

"……김영석이라는 친구가 있지 않은가. 요새 소문이 자자하던데."
"……소문 말입니까."

도건은 마땅히 꺼낼 말을 찾지 못해서 그의 말을 주워 섬겨 한 번 더 읊을 뿐이었다. 유종진은 그런 김도건의 태도에 자신이 제대로 짚었다, 라고 생각했다.
김도건은 반면 그에 대해 정확히 알고 있지는 못했다. 스티브 블레어를 비롯해서, 비령 제약 쪽의 인물들이 이야기해준 사실들이 있지만 김도건의 상식으로 이해하기에는 불가해한 구석이 많은 괴담이었다.

그는 유종진이라는 인물이 그 괴담에 대해서 옳고 있다는 걸 알았고, 일단은 인정할 수 밖에 없었다.

"⋯⋯들으신 게 있으십니까."

도건은 차분하게 말하면서 눈빛을 내리 깔았다. 자신 앞에 놓인 채끝 스테이크를 바라본다. 반쯤 먹었고, 손에는 나이프를 쥐고 있었다.

스테이크를 써는 도구로 이 자리에서 종진에게 해를 가할 생각은 없었다. 그런 짓을 벌였다가는 곧장 바깥에 있는 가드들 중 더 힘이 센 놈이 살아서 문 안에 들어와 현장을 통제하겠지. 높은 확률로 도건이 데려 온 놈이 종진의 프로 가드들한테 제압당할 확률이 높았다.

서울 시내, 제인 메리어트 호텔에서 일을 벌이고 싶지는 않았다. 찰나간에 든 상상일 뿐이었지만 말이다. 도건은 무탈하게 살고 싶었다. 그의 무탈한 행복이 사회에 거대한 짐이 되며 악의 일종이라는 건 차치하고서 갖는 바람이다.

"⋯들었지. 자네도 이미 알지 않은가. 내가 아는 걸 자네가 모를 리도 없고."
"⋯⋯."

후, 도건은 짧게 한숨을 내쉰다.

답잖은 모습에 종진은 눈썹을 꿈틀거렸다. 속내를 밝힐 생각이라고 여겼다. 종진은 거기서 한 번 더 깊게 이야기를 하고자 했다.

"김영석. 모를 리는 없을 텐데. 나도 알고 있으니. 물산 쪽의 걸물 아니었다. 목진형 사장 밑에 있던 놈이고. ……자네가 내부 항쟁을 공인한다는 소식 이후에 어떻게 된 지는 듣지 못했는데. 최근 재미있는 소문이 들리더군. 김영석.
그가 다른 자들에게 당해서 처리되었다가 살아났다고. 그 과정에 비령 제약의 개발 중이던 신약 샘플이 활용되었다고 말이야."

생각보다 정확하게, 깊은 내용을 알고 있는 종진의 모습에 도건은 포커 페이스를 유지하기 위해 애써야 했다. 어떤 개새끼인지는 모르지만 프락치(러시아어, fraktsiya)가 있는 모양이었다. 짐작하고 있던 바였지만, 생각보다 더 깊이 들어와 있는 모양이었다.

도건조차도 최근에 보고를 들은 일을 그처럼 정확하게 알고 있다는 현실로 추론하건데 말이다. 도건은 찌푸려지는 인상을 이내 참지 않고 종진에게 이야기했다.

"……어디서 들으신 겁니까?"
"이 사람은. 왜 이러나. 내가 아무리 둔하다고 해도 그 난리가 일어났는데 우리 파트너께서 있는 조직 일을 그 정도로 모를까. 당연한 소리 묻지 말고 이야기 해보게."

해보게, 라고 말하는 그 말끝이 지독하게 능글맞다. 도건은 불쾌

감을 감추며 이야기해야 했다.

"······저도 아는 바 없습니다. 조직 내에서 죽은 놈들 근처 있던 자들이 소문을 흘리고 있는 것 뿐이고요. ···영석이가 죽은 건 맞습니다. 이후에 돌고 있는 소문이 정말 영석이로 인한 것인지는 확신할 수 없고요. 제 눈으로 본 건 없습니다."

도건의 말은 진실이었고, 담백한 이야기였다. 종진은 물론 믿지 않았지만. 식사 자리에서 중요한 정보를 갖고 있을 지도 모르는 파트너를 지나치게 케기가 부담스러운 종진은 더 이상 그의 속을 긁지는 않았다. '그렇구먼.'

13. 짧은 재회

종진은 이야기를 다른 데로 돌리려는 듯 한 호흡을 쉬고 이야기 했다. 그가 꺼낸 말은 그 역시 나름대로 솔직한 것이었다.

"······Zaice사는 천재들이 모여있는 곳으로 업계에서 유명하지. 개중에서도 닐 바이스는 유달리 유명한 인간이고. 그 자가 무언가 일을 냈다면 나는 그게 마냥 헛소문이라고 생각하지는 않겠네.
······초인약이라니. 아름다운 이름 아닌가? 자네도 내 나이 정도만 되었어 봐. 눈에 불을 켜고 찾으려고 들 걸. ···작고하신 자네 부친께서도 안 된 일이지만 그 때 그런 성과가 있었더라면······."

도건은 덜그럭 거리면서 스테이크를 썰었다. 죽은 아비에 대해 이야기하자 그 나름대로 불편함을 표시한 것이었고, 종진은 적당히 말을 멈추었다. 김도건이 김도형에 대해 어떤 생각을 갖고 있었는지는 알 수 없다.

그의 속내는 어찌되었든, 일단 종진의 말을 끊기에는 적절한 지점이라고 판단했다.

죽은 이를 거들먹거리는 게 썩 부담스러운 지 종진 역시 그의 기색에 말을 멈춘다.

"…크흠. 아무튼. 나로서도 귀가 기울여지는 이름이라는 건 부정할 수 없네.

……어찌 된 일인지는 몰라도, 만약 그 소문이 백분지 일이라도 진실이라거나 …별다른 진상을 찾게 된다면 그것만은 약속해주게.

…꼭 나에게 그 일에 대해서 자세히 알려주고 동참시켜 주겠노라고 말이야."

"……."

도건은 그렇게 비밀스럽다는 듯 넌지시 말하는 종진의 표정과 기색을 살폈다. 차마 웃지는 못했으나, 여태 그러했듯 고개를 끄덕거리면서 종진의 비위를 맞춘다.

정말로 진심으로, 그런 일이 실재한다고 생각하는 건가?

김도건은 중년의 나이를 바라보고 있었지만, 종진만큼 늙지는 않았다. 체력의 반감기는 이미 지난 지 오래였고 하루하루 늙어가는 몸뚱이지만 죽음을 당장 체감할만치 오래 살지도 않았다.

슬슬 자신의 마지막을 두 눈으로 바라보게 되는 시점부터, 또 그 때 지나친 부를 갖고 있다면 인간은 헛된 망상에 빠져들게 되는 건지도 모른다. 차라리 가진 것이 없다면 덜할 것을, 세상에 그런 편의적인 기적이 있을지 모른다는 망상을 버리지 못하고 제 가진 힘으로 찾아 나서는 지도 말이다.

도건은 속으로는 혀를 찼으나 말한다.

"…알겠습니다. 닐 바이스 박사는 저희로서도 그 속을 짐작할 수 없는 인물이기는 합니다만…. 프로젝트에 소기의 성과가 있다면 꼭 회장님께 알려드리도록 하겠습니다. 저희 그룹의 유력한 투자자이신데 그런 경사가 있다면 공유하는 게 당연하지요."
"허허, 말이 참 잘 통하는 친구라서 난 자네가 좋아."

종진은 그제서야 마음이 놓인다는 듯 편하게 웃었다. 보자고 한 것이 다른 여러 용건도 있었지만, 이게 가장 중요한 내용이었던 가?
김도건은 영락없이, 김영석이라는 이름을 단 괴물로 비령 그룹 내에 시끌시끌한 사건의 진상에 대해 물으리라 생각했다. 그러니까, 초인약 따위가 아니라 대체 왜 서울 시내에서 감당하지도 못할 그런 집단 살인극이 펼쳐졌고 일을 복잡하게 만드냐는 식으로 말이다.

당연히 그게 먼저 논해야 할 거리일텐데, 생각보다 종진의 머리가 망상으로 가득 찬 모양이다. 도건은 스티브 블레어와 오시마 사토루에게 여러 이야기를 들었지만, 자신의 상식과 현실이 꺾이지는 않았다. 두 눈으로 본 것으로 살아가는 작자에게는 당연할 지도 모른다.

도건은 이해할 수 없다는 듯한 속내를 감추면서 대담과 식사를 이어갔고, 약 한 시간 여 후에 자리를 벗어났다.

도건이 먼저 자리를 떴다. 종진은, 연배로나 사회적 위치로나 더 위인 작자답지 않게 아주 느긋하게 시간을 버리면서 움직였다.

도건이 사라진 뒤에 한강의 경치를 보는 장년의 표정에 복합적인 감정이 어려 있다. 개중에서 가장 눈에 이글거리는 것은, 탐욕이라는 단어로 표현 가능한 종류다.

종진 역시 머리로는 그게 불가능하다는 걸 알지만, 너무나도 달콤한 이름이기는 했다. 육체적 한계를 뛰어 넘어서 새로운 생명을 얻을 수 있다는 현대 과학을 초월한 어떤 약에 대한 이야기 말이다.

불로초를 찾고자 했던 진시황 역시 죽음이 다가오자 미친 인간처럼 그렇게 굴었을 것이다. 종진은 최근 들어 몸의 컨디션이 부쩍 나빠진 것을 느끼고 있었고, 건강 상태가 그리 좋지 않다는 걸 알고 있다.

특별히 유전적인 질병이나 당장 목숨을 걱정해야 할 것은 아니었지만, 여태까지 정력적으로 사업을 운영하고 살아오는 데 어떤 불편함도 없었던 몸뚱아리가 근래 불편한 알람을 주인에게 보내고 있었다.

갑자기 삶에 대해, 그리고 그 마지막인 죽음에 대해 잦은 생각을 하게 된 요즘, 종진으로서는 갑자기 듣게 된 '초인약'이라는 신비한 소문에 쉽게 귀를 뗄 수가 없었다.

*

휘이이.

휘파람을 불고 있는 사내가 있었다.

그는 건물의 지하에 있었고, 그가 있는 곳은 서울 시내의 유명한 호텔 주차장이었다. 빼곡하게 들어찬 다양한 차들이 시야를 메운다. 어둑한 공간을 밝히는 백색 전등이 무기질적이라고 느껴질 때가 있다.

그는 발 끝으로 박자를 맞추며 연주하듯이 실내 바닥을 툭툭 쳐댔다. 얼마나 오래 걸릴까. 시간을 재면서 그는 등에 벽을 기대어 섰다.
그의 기다림은 제법 오래 되었다.

검은 정장을 입고 있는 사내는 주머니에 손을 푹 찔러넣은 채다. 나름대로 고급스러운 재질의 그것이었다. 그는 CCTV에서는 잘 보이지 않는 즈음을 골라 멀거니 서 있다.
이따금씩 핸드폰을 꺼내서 시간을 본다. 벌써 오후 2시였다. 점심이라고 한다면 제법 긴 시간이다. 사업에 관한 이야기를 한다면 어쩔 수 없기는 하다. 의견 조율이 필요하다면 두 조직의 장이 만나서 실랑이를 벌이듯 긴 토의를 할 수도 있는 법이다.

참을성 있게, 그는 시간이 흘러감을 느끼면서 있었다.

오늘은 만나기로 한 친구는 아니었으나, 오랜 구면을 보고자 기다리는 참이다. 30대 중반 정도의 인상으로 보이는 멀끔한 사내. 그리 못나지 않은 얼굴에 입가에는 시원스런 미소가 붙어 있다.

사내는 지하 주차장의 내부 쪽을 바라보고 있었다. 내부, 라고 단번에 말할 수 있는 이유는 그가 등지고 있는 방향이 외부였기 때문이다.

점심 시간, 지나가는 차들이 깨나 있었다. 그는 여러 차들을 지나쳐 보내면서 자신이 익숙하게 아는 차종이 다가오기를 기다린다. 주변에 누군가 없는 때에 지나가기를 바랄 뿐이었다. 상황이 영 여의치 않다면 다른 때를 노릴 수도 있었다.

그가 있는 곳은 지하 4층의 주차장에서 바깥, 곧 상부로 올라가는 유일한 통로의 옆이었다. 그가 기대어 선 벽 오른쪽으로 차가 빙글빙글 돌며 올라가는 나선형의 길 입구가 있다.

4층에서 나가는 차들은 모두 이곳을 통과한다. 그가 기다리는 차종은 검은 색의 중형 세단이다. 외제차종이었고, 특별히 비싼 종류였다.

아마 일반적으로 사도 비싼 것을 특제의 옵션과 튜닝을 더해 더욱 비싼 값에 굴리고 있을 것이다. 자세히 알아보지 않아도 알 수 있었다.

차를 타는 양반이 워낙 조심성이 많고, 또 겁도 많은 자이기에 그럴 것이다.

그가 멀거니 주차장 한쪽 벽면에 기대어 서있음에도 그에게 눈치를 주는 자는 없었다. 지하 4층 주차장에 그리 많은 사람이 지나다니지도 않을 뿐더러, 간혹 차를 가지고 바깥으로 나가는 사람들도 무슨 일이 있어서 차주가 잠시 서 있는가보다, 하는 정도다.

마침 그가 선 자리가 CCTV의 사각 즈음이었다. 그는 다시 한 번 휴대폰을 꺼내어 시간을 봤다. PM 2:02.

아마 일을 보는 데 오랜 시간이 필요하지 않을 테다. 한 순간이면 끝날 일이었고.

부릉.

오랜 기다림이 질려가던 차에, 그러니까 얼마 지나지 않은 시점, 2:04분으로 휴대폰의 시간이 바뀔 무렵이었다.

벽면에 가만히 기대어 서 있던 사내, 영석은 움찔 하며 등을 뗐다. 발치에 놓아 두었던 컴팩트한 검은 백팩을 손끝으로 집어 휙, 올렸고 능숙하게 등에 맨다. 묵직하게 가방 아래에 자리하며 무게감을 만드는 것들이 있었다. 가방의 가장 큰 주머니 지퍼는 슬쩍 열려 있었다. 그대로 왼 손을 뒤로 해서 넣으면 내용물을 꺼낼 수 있게끔 말이다.

그리고 검은 양복의 재킷 품 안에서 검은 쇳덩이를 꺼냈다. 아니, 사실대로 말하면 플라스틱 덩어리에 쇳덩이가 섞여 있다고 해야 하리라. 강화 플라스틱으로 외장을 감싼 가벼운 느낌의 자동 권총이었다. 연발은 불가능하지만, 마치 연발인듯 속사하는 건 가능하다. 그의 손이라면.

그리고 뒷주머니에서 길쭉한 탄창을 하나 꺼냈다. 일반적인 종류보다 훨씬 길었다. 능숙한 손길로 총몸과 손잡이 부근의 버튼을 누르면서 탄창을 끼워 넣는다. 손잡이보다 길게 빠져나온 탄창은 연장 탄창이다. 30발들이로, 아마 대부분의 용건은 한 개 탄창만에 끝날 것이다. 상황이 좋지 않다면 백팩으로 손을 넣어 추가 탄창과 권총을 쓰기야 하겠지만.

사내, 김영석은 그럴 일이 많지 않다고 생각했다.

몸이 바뀌고 나서 가장 쓸만한 무기는 아무래도 총이었다. 그에게는 예민한 감각과 초인적인 근육이 동시에 있었다. 그건 괜찮은 도구가 주어졌을 때 극대화 될 수 있는 능력이었고, 인간적인 반응 속도를 아득히 초월한 빠르기로 연사를 갈길 수 있다. 지독할 정도의 정확도를 가지고 말이다.

그가 소리를 들은 것은, 아주 익숙한 자동차의 배기음이었다. 발걸음 소리로 어떤 인간의 체형, 자세까지 파악할 수 있는 그는 눈에 선명하게 그려지는 어떤 차종의 모습을 머릿속에 그려냈다.

그는 선 자리에서 총을 점검했고, 아무런 문제가 없다는 걸 깨닫는다.

먼저 그의 모습이 보여서 좋을 필요는 없다. 그는 자신의 바로 앞에 있는 검은 SUV 옆으로 다가갔다.

그는 허리춤에 대강 쑤셔 박아 넣었던 검은 모자를 빼내어 깊게 눌러썼다. 시야를 가릴 정도는 아니었다. 그는 등을 SUV에 댄 채로 가만히 기다린다.

자동차의 배기음과 지면을 구르는 바퀴의 소리 등은 점차 다가오고 있었다.

끼이익, 하는 기분 나쁜 타이어 소리와 함께 저 먼 주차장의 골목에서 검은 세단 하나가 모습을 드러냈다. 첫번째로 다가오는 것은 그가 노리는 차종이 아니었다.

몇 초의 텀을 두고 굴러 나오는 두 번째 세단이 더 크고 값비싼 종류다. 아마 강화 유리로 코팅이 되어 있을 텐데, 이 날을 위해서 특별히 준비한 탄환이 제 역할을 해 줄 것이다.

일반탄으로도 어느 정도 가능은 할 테지만, 가급적이면 일을 쉽게 만드는 게 좋다. 탄두의 끝에 텅스텐 코팅이 되어 있고 관통력을 증가시킨 권총탄이었다. 제법 비싸고, 구하는 게 어렵지만 불가능하지는 않았다.

부동산업자이지만 아직도 조직의 무기상으로서 잠시 활동할 정도의 인맥은 보유하고 있는 만수의 도움을 받았다. 확장 탄창을 다 사용한다면 남아있는 것으로 마저 일을 볼 테다.

끼이이,

하면서 두 번째 차가 코너를 돌아 그에게 다가온다. 두 번째 차가 완전히 꺾어 정면을 출구 쪽으로 바라보았을 때. 3, 40여 미터 정도의 거리가 있었을 때 영석은 빙글, 제 몸을 돌렸다.

그의 동체 시력은 초월적인 수준이었다. 그는 순간의 집중으로 한 장면을 멈춘듯이 보았다. 그건 분명 움직이고 있는 현실 세계였으나 영석이 감각하는 장면은 조금 다르다.

움직임이 멈춘 세계 속에서 예민한 감각을 가진 그는 침착하게, 우선 두 발을 쏘아낸다.

타탕!

소음기를 달아둔 글록은 일반적인 총성보다는 훨씬 적은 소리를 뱉어냈다.

*

타탕!

하는 소리가 들리면서 김도건의 호위를 맡고 있는 호위조 인력, 박병철은 운전대가 마음대로 꺾어지는 걸 경험했다. 탄력을 받아 앞으로 나아가야 할 세단이 말을 듣지 않았다. 여기서 들릴 리가 없는 소리였다.

그가 익숙하게 경험해서 알고 있는 총성보다는 훨씬 작은 것이었지만, 차문을 닫고 내부에 있는 그의 귀에도 분명 인지가 되었다.

그 소리와 함께 삐끗하며 옆으로 틀어지는 세단을 느끼건데 분명 그러하다.

누가, 지금, 여기서 미친 짓거리를?

박병철은 여러가지 의문이 들었지만 곧 그것을 지워야 했다. 눈 앞, 저 멀리 출구 쪽 통로 근처에 보이는 괴인이 있었다. 검은 양복에 깊게 챙달린 스포츠 모자를 눌러쓴 사내가 있었다. 그는 길다랗게 생긴, 특이한 총을 들고 있었다.

그의 눈에는 순간 어떤 종류의 총인지 파악이 되지 않았다. 평범한 자동 권총의 총열을 조금 늘린 데다가, 소음기를 달고 확장 탄창을 끼는 등 여러 모로 변형을 가했으니 어쩔 수 없다.

"이 씹…." 그의 잇새에서 비명인지 욕인지 괴성인지 모를 된소리가 터져 나오려 했고, 그는 잘 돌아가지 않는 머리로 현재 어떤 움직임이 가장 적합한 것인지 판단을 했다.

비틀리며 옆으로 꺾인 세단이 멈추어섰고, 그 때문에 뒤에서 따라오는 중요한 차, 곧 김도건이 타고 있는 중형 세단 역시 급정거를 할 수 밖에 없었다.

최초의 멈춤은 회장의 차를 운전하는 운전사의 의지였으나 그 이후는 타의에 의한 것이었다. 타탕! 하고 다시금 작은 소음이 들렸고, 탄알 두 발은 두 번째 달려오던 목표차의 앞바퀴를 역시 구멍냈으니까 말이다.

정확히 말하자면 타이어가 망가졌다. 일반적인 권총탄보다 위력이 좋은 탄알과 총의 형태라 보다 확실했다. 끼이익! 하면서 멈추어 서려던 세단이 비틀리면서 꺾인다. 운전자는 저도 모르게 왼쪽으로 꺾었고, 왼쪽 뒷자석에 앉아 있는 김도건은 바뀐 차체에 의해 앞을 조금 더 잘 볼 수 있게 되었다.

조수석의 뒤켠에 앉아 있던 김도건의 눈이 크게 떠졌고, 황망하기까지 한 표정을 지었다. 눈 앞에 괴인이 있었다. 검은 정장과 스포츠 캡이라는 어울리지 않는 복장을 한 놈이었는데, 손에는 총을 들고 있다.

그는 어쩔 수 없이 김영석이라는 세 글자 이름을 연상할 수 밖에 없었다. 그리고, 그가 기억하고 있는 김영석의 체형과 체구와 정확히 맞아 떨어지는 괴인의 모습에 저도 모르게 입을 조금 벌리고 턱을 떨었다. "어….."하고 그가 작은 소리를 내는 동안, 연이어서 총격이 날아왔다.

타타타타타탕!

마치 연사를 쏘는 것과도 같았지만, 잘 들어보면 그 사이에 지연 시간이 있었다. 일정한 차이로 계속해서 쏟아지는 납탄이었다. 콱! 하고 김도건은 자신이 바라보는 차창의 정확히 앞에 금이 가는 것을 보고 "억!" 하고 고개를 뒤로 젖힐 수 밖에 없었다. 타타타타타탕! 계속해서 쏟아진다. "다, 달!"

김도건이 외치려 했다. 운전자 역시 상황을 뒤늦게 인지한 듯 다시 차를 움직인다. 악셀을 밟으면서 차체를 돌린다. 왼쪽으로 꺾였던 세단이 신음을 토해내면서 망가진 타이어로 힘겹게 방향을 바꾸었고,

김영석은 그대로 저 멀리서 자신이 노리는 바를 잡아내기 위해서 앞으로 달려 나오기 시작했다.

정확한 일점 사격이 결국 관건이었다. 방탄 차량이다보니 한 두 발로 쉽게 뚫리지는 않는다. 김도건이 차에 들인 공과 가격으로 인해서 일의 성패가 갈릴 테다.

김영석은 바뀌는 차체의 자세와 방향에, 정확한 사선을 유지하려

가까이 다가온다. 대각선 방향에 있었다가 곧바로 직진해서 오는 것이다. 쿵, 쿵 하고 일렬로 쭉 늘어서 있는 모르는 이들의 차 본 넷을 그대로 밟으면서 뛰었다.

그 모습이 과히 비현실적이었다. 마침 사람이 없는 지하 주차장, 4층. 여러 종류의 차 주인들이 눈물을 흘릴만치 과감하게 발자국을 찍어 대면서 달리는 김영석은 그 움직임 가운데도 타타타탕! 하면서 여전한 사격을 이어 나갔고, 단 한 발도 어긋나지 않고 정확히 같은 부위에 탄알이 사격되었다.

1mm의 오차도 없지는 않았지만, 그 충격 부위가 계속해서 겹치고 있다는 것이 중요했다. 결국 과중된 충격량은 방탄 유리를 뚫어 낼 것이었고,

비상식적인 상황에 그들이 꿈을 꾸기라도 하는 게 아닌가, 싶은 생각을 했던 호위 병력들이 비명처럼 소리를 지르며 차 안에서 뛰쳐 나왔다.

그대로 골목을 채 다 돌지 못했던 세 번째 호위 차량, 후방을 지키는 마지막 호위자들도 같이였다. 비령 IT계열사에 속해 있는 정예라고 할 만한 놈들이었다. 회장을 지키고 있다 보니, 권총까지 소지하고 있었다. 모두는 아니었고 각 차량에 한 놈들 씩이다. 일이 다급해지면 결국 쓰려는 생각으로 탄창까지 미리 채워둔 상태였고,

회장 차량의 전방을 지키던, 운전자 박병철의 옆에 탄 조수석의 사내 하나가 벌컥 문을 열며 나왔다.

60

차들이 나가는 출입구 쪽에서 세 번째 줄의 흰색 승용차 본넷 위를 밟고 뛰었던 김영석은 그대로 나오는 사내를 보고 한 발 정도를 바꾸어 사격했다.

타타탕, 탕!

하고 연발 가운데 한 발이 날아가,

차 문을 열고 대가리를 내민 인간의 낯을 그대로 과녁으로 삼아 꿰뚫었다. 끔찍한 소리와 함께, 한 명의 신형이 허물어졌다.

시체의 파편이 사정 없이 승용차에 튀었고, 박병철은 질겁을 했다. 그 뒷자석에 타고 있던 두 명의 호위조 인원들 역시 마찬가지였다. 총을 든 인간은 말도 안되는 명중률을 보여주고 있었다. 세 번째 호위 차량에서 두 명이 뛰쳐 나와 달려드는데, 김영석은 그들이 사격 가능한 지점에 서자 마자 타탕, 하고 연발 같은 점사 두 발을 날려 차례로 끝냈다.

미친듯이 달려오던 조직원 둘이 그대로 절명했다. 하나같이 급소를 맞았고, 주차장 바닥에 널브러진다. 강력한 충격으로 들썩이듯 멈춰섰다가 그대로 차가운 콘크리트 바닥에 누워 눈을 감았다.

몇 명인가를 보내고 나자 더 이상 뛰쳐 나오는 놈들이 없었다. 탕!

하고 방아쇠를 더 당겼을 때 다음 것에 걸리는 부하가 없었다.

영석은 텅, 하고 멈춰섰다. 검은색의 승용차 본넷 위에 두 발로 내려서 멈추는 소리였다. 그대로 자세를 잡고 왼 손을 백팩의 주머니에 쑤셔 넣었다. 곧바로 들어가자마자 나오는 손아귀에 탄창이 걸려 있었다.

영석은 그대로 손잡이의 버튼을 꾹 누르며 강하게 아래로 휘둘렀고, 확장 탄창이 떨어져 내렸다. 그의 손에 들려 나온 것은 일반적인 탄창이다. 그것만으로도 충분하다. 19발들이였고, 김도건이 탄 뒷자석의 창문은 금이 너무 많이 가서 내부를 구경하기가 힘들 정도였다.

철그럭, 거리면서 순식간에 탄창을 갈았다. "으어어어어!" 차량 내부에서 비명을 지르는 한심한 놈들이 조직원이다. 비령 그룹 안에 있었던 김영석으로서도 정이 떨어지는 몰골이었다. 적어도 악으로 사는 놈들이면, 패기라도 있어야지 않은가.

물론 그런 말을 하기엔 김영석이 보이는 자태가 과히 공포스러운 점도 있었다. 어떤 괴인도 이렇게 총을 쏘지는 못한다. 치트키를 쓴 게임 속의 플레이어도 아니고, 그가 가볍게 팔을 움직여 손가락을 당길 때마다 목숨 하나가 사라진다.

차체 내부가 조직원들이 목숨을 갈구할 수 있는 유일한 공간이 되었다.

김영석이 차 위에 올라서 탄창을 가는 그 몇 초의 시간동안 감히 바깥으로 나와서 그에게 칼을 휘두른다거나 하지는 못했다. 단기적으로는 현명한 판단이었다. 그렇게 한다고, 영석에게 털끝만치 상처를 낼 가능성은 별로 없었다.

기가 막힌 단도술의 달인이라 투척을 해서 상처를 입혔다면 모를까. 몇 걸음 떼지 못한 시점에서 곧장 바람 구멍이 나서 뒤틀려 죽으리라.

영석은 마지막으로 총몸의 윗부분을 당겨 장전을 마치고 다시금 파지하며, 사선을 가다듬고 조준했다. 물 흐르듯한 동작이었고 마치 시간이 필요하지 않은 것처럼 가벼운 움직임이다. 빠르게 팔다리를 움직이지만 영석의 시야에서는 충분한 조준이 끝난 뒤의 사격이다. 탕, 탕, 탕, 탕! 하고 김영석은 계속해서 방아쇠를 당긴다.

두 번째 세단의 뒷좌석, 김도건은 "저, 저 새끼 잡아 죽여!" 하고 비명처럼 외쳤으나 그 말을 듣는 자가 없었다. 도건은 얼어 붙은 몸을 벌벌 떨면서 뒤로 움직였고, 그래봤자 얼마 되지 않는 움직임 뒤에 그의 곁에 앉아 있던 호위 인력에게 엉겨붙는 꼴이 되었다. 탕, 탕, 탕, 탕!

계속해서 연발이 이어졌다. 정확히 말하자면 연발같은 점사다.

관통탄이 드디어,

더럽게 질긴 방탄 유리를 깨부수고 한 발이 내부로 들어갔다. 비집고 들어간 탄환은, 그대로 발버둥 치듯 호위 인력과 붙던 김도건의 상완을 관통해 어깨를 뚫었다. 텅스텐으로 코팅된 특제탄이었고, 일반적인 것보다 더 위력적이다. 그대로 김도건의 몸을 뚫고 옆에 있던 덩치 좋은 호위 인력의 명치 즈음을 파고 들었다. "꺼어어억…." 하는 숨 넘어가는 소리와 함께 호위가 바들바들 떨었다.

생명이 다해가는 소리였다.

타타탕! 하고, 영석이 마저 총알을 퍼부었다. 한 발, 의 납탄이 거의 부서져가는 방탄 유리의 중심부를 가격했다. 실금으로 온통 도배가 되어서 흰 코팅이 되어버린 유리는, 그 한 발에 마치 제 생명이 다했다는 듯 무너져 내렸다.
떨어져 내리는 파편 사이로 두 번째 탄환이 들어가서, 그대로 김도건의 상체를 관통했고,

'꺼어억,'

하고 숨지는 소리를 내려는 김도건의 두부頭部를 마지막 탄환이 관통했다.

!

글자로 표현하기 어려운 끔찍한 소리와 함께 비령 그룹의 수뇌부는 그 수뇌首腦가 바스라져 흩어지면서 마지막을 맞이했다.

"후."

하고 짧게 숨을 끊어쉰 김영석은, 그대로 뛰었다. 3층 주차장에 자신이 대어 둔 차량이 있었다. 예전의 인맥을 활용해 얻어낸 불법적인 차량이었고, 번호판을 추적해도 어떤 신상이 나오지 않는 검은색의 작은 승용차였다.

쿵! 하고 한 번 더 흰색 SUV 한 대의 본넷을 밟은 영석은 마지

막에 주차장의 바닥에 발을 댔다.

마치 짐승이 그러하듯 순식간에 달아나며 잔상조차 남기지 않는 꼴에, 차 내부에 있던 호위조들은 차마 쫓을 엄두를 내지 못했다. 그들 중 대부분이 하고 있는 것은, 그저 계속 울리는 총성에 맞지 않기 위해서 몸을 웅크린 채 아래로 고개를 처박은 것 뿐이었다.

한참의 시간이 지난 후에, 패닉에서 간신히 벗어난 몇 명이 움직였고, 벌어진 일의 결과를 본 뒤 다시 더 큰 패닉에 빠졌다.

타다다다, 하고 주차장 내부를 빠르게 달려 나가는 영석의 신발 소리만이 메아리처럼 울렸다.

고작해야 1, 2분 정도 내에 벌어진 일들이다.

제인 메리어트 호텔의 경비 인력들이 이상을 눈치채고, 아래로 달려오기까지 시간이 그보다 조금 더 걸렸다. 영석은 그대로 차를 타고 호텔 바깥 도로를 타는 데 성공은 했지만, 호텔 부지를 벗어나면서 시끄러운 경비 인력들의 움직임과 소란을 뒤로 느꼈다.

곧장 추격이 시작될까 하는 불안감에, 몇 개 블럭을 지나 몇 번 골목 등을 휘저으며 방향을 어지럽게 주행하고서는 적당한 자리에 차를 버리고, 두 발과 택시 따위를 이용해서 서울 도심 지역으로부터 최대한 멀리 벗어났다.

영석의 예민한 불안감이 아주 근거 없지는 않았는지, 곧이어 상황 판단을 위해 경비 인력이 현장에 도착해 한창 소란을 정리하고 경찰에 연락이 닿아 지역 전체가 시끄러워졌다.

CCTV에 영석의 얼굴이 찍히지는 않았으나 차량의 번호와 외형은 찍혔다. 수상스런 남자가 검은 승용차를 타고 호텔 바깥으로 나갔다는 걸 뒤늦게 알아차린 경찰과 호텔 경비인단이 주변을 수색했고,

한참이 지나 어느 골목 구석에 버려져 있는 차를 발견할 수 있었다.

*

14. 손님 왔습니다.

김도건의 죽음은 여러모로 충격적인 일이었다.

범죄 조직인 비령 그룹 내부적으로는 물론이고 그 외부에까지 영향을 미치는 일이다.

유종진의 경우에는, 자신이 상상했던 '초인약'의 존재와 그것으로 인간을 초월한 힘을 얻게 된 김영석에 대해 조금 더 확신을 가지게 된 사건이었다.

비령 그룹을 비롯해서 한국의 조직 폭력배들은 앞으로 있을 변화를 경계하면서 각기 몸을 사리거나, 혹은 지금이 기회라고 생각하며 활개를 칠 생각을 하고 있었다.

경찰 조직은 너무 덩치가 커서 건드리지 못하던 비령 그룹의 수장이 죽음으로 인해 골머리를 썩게 되었다. 뇌관에 불을 붙이지 않기 위해서 최선을 다해왔는데, 떡하니 붙어버린 셈이다. 그나마 체제를 유지하던 중심부 역할의 수장이 죽었으니, 내부적인 항쟁은 더 이상 눈치를 보지 않고 격화될 것이다.

불량배들끼리 서로 싸우고 죽이는 일이야 어쩔 수 없다지만. 그 사이에 인적 재산적 피해가 사회에 생긴다면 경찰들로서는 필히 막아야 하는 상황이었다.

그런 와중에, 경찰들도 어떤 유령 같은 사내의 소문에 대해서 듣게 된다.

*

김경묵 경위는 비령 그룹을 전담하고 있는 특폭위의 형사였다. 점차 일반적인 범죄 조직의 상리를 넘어서까지 커진 그룹을 견제하고, 그 내부 정보를 빼돌리는 등의 일을 도맡는다. 그 외에도 비령 그룹과 관련된 포괄적인 사건들을 전부 담당하고 분류하는 일역시.

사회의 커다란 암덩이, 혹은 문젯거리가 되어버린 비령 그룹을 견제하기 위해서 경찰들도 애를 쓰고 있는 실정이었다.

경찰서를 거닐던 그는 부하 형사로부터 연락을 받게 되고, 부하가 현장 검증을 하던 도중 어떤 괴인에 대한 정보가 입수되었음을 전해 듣는다.

단 한 명의 사내가 뛰어들어 유유히 회장을 죽이고 떠났으며, 최근 비령 그룹에서 이루어진 살인 건이 전부 그 자의 손에 의한 것이라는 말이었다.

압도적인 전력차를 보이는 괴물같은 사내. 공포에 질려 말을 하는 조폭들의 이야기에 따르면 사람같지 않은 움직임을 보였다고 한다. 더 이상 일반적인 항쟁이나 전투가 아니라 학살에 가깝지 않은가, 싶은 정도의 피해였다.

그들로서 폭력배들을 보호하기 위해 그들의 인력을 소모하는 일은 못마땅하기는 하지만, 일단 관련자들을 따로 모아 조금 더 정확한 내부 정보를 듣기 위해 애를 썼다.

연달아 벌어졌던 시끄러운 사고의 중심에 항상 같은 인물처럼 보이는 인간의 행적이 있음을 경찰들도 알게 되었다.
최근 각지에서 벌어졌던 비령 그룹 내 간부 살인 사건이 모두 동일범의 소행이라는 이야기였다.

*

"으아아아아!"

괴성을 지르면서 사무실의 집기를 다 쏟아내는 분노의 주인은 최길서였다. 비령 공업의 사장인 그는 이제 얼마 남지 않은 비령 그룹의 간부진들 중 한 명이었다.

당장 후계권 순위로 따져보아도 그가 손가락에 꼽힐 것이다. 그리고 그런 상황은 달가운 것이었지만, 명백하게 비정상적인 일이기도 했다.

그는 아무 일도 하지 않았다. 직접 칼을 뽑아들지 않았음에도 경쟁자들과 윗대가리가 전부 죽은 상황은 다시 말해 비령 조직이 몰락하고 있음을 말해준다.

그는 이해하지 못하고 통제 바깥의 상황에 대한 극심한 스트레스를 느꼈다. 손을 잡으려 했던 인간들도 죽고, 천천히 손봐주려 했던 작자들도 죽었다.

비령 조직은 거대한 집단이었기에 몇 명의 사망자가 난다고 그 조직 전체가 단박에 무너지지는 않았다. 가장 윗대가리가 죽는다면 그 보좌나 바로 아랫 사람들이 남는 탓이었다. 당장 최길서 역시 남지 않았는가. 그룹 전체로 보자면 그 역시 중간 관리자에 불과했으니.

각 부서, 계열사의 2인자 3인자들이 제 노릇만 한다고 하면 비령 그룹이 공중분해 되는 일은 없을 것이다. 나름대로 조직의 수장 옆에서 노하우를 갈고 닦아 온 인물들일 테니까 말이다.

그럼에도 당장 조직이 흔들릴 정도의 위기를 맞고 있는 것은 변함이 없는 사실이다.

중앙이라고 할 수 있는 IT계열사와 회장 측에서 내부 항쟁을 공인한 상황이었는데, 그 작자가 죽어버렸으니. 모든 이들이 전체 조직을 위해서 한 마음 한 뜻으로 움직인다면 큰 요동이 없겠지만 그럴 리가 없었다.

제각기 욕심을 부리면서 항쟁이 격화된다면 누구도 살아남을 수 있으리라 장담할 수가 없다. 최길서는 그런 상황에 대해 분노했고, 스트레스를 받았다.

연락을 취할 수 있는 작자들에게 그는 연합과 협조의 뜻을 전달했으나, 그것이 제대로 된 회신으로 돌아올 지 모를 일이다. 각자도생을 모두가 생각하고 있으리라.

그가 머릿속으로 짰던 판 안에서 완벽하게 벗어나 있는 것은, 신원미상의 어떤 암살자였다. 대체 어떤 인간을 고용한 것인지 알 수 없지만 일반적인 추리와 상식을 완벽하게 벗어난 속도로 그룹의 간부들을 모조리 척살하고 있었다.

그 모든 게 동일범의 소행이라면 가장 끔찍한 경우이리라. 고작 한 명의 인간이 그런 일을 벌일 수 있다면 당장 최길서도 목숨을 장담하기 어렵다.

비령 그룹에 원한이라도 품은 어떤 초월적인 존재가 나타났는가. 어린아이의 망상이나 만화 속 내용같은 상상이었지만, 마냥 웃을 만하진 않았다.

차라리 한국 쪽 범죄 조직들을 대대적으로 정리하려는 거대한 외력의 작용이라고 생각하는 것이 심신에 안정이 된다. 그렇다면 차라리 말을 할 구석이 있을 테니까. 어떤 세계의 어떤 일이든 결국 힘의 논리라는 것이 존재하고, 그렇기에 대화의 여지가 있었다.

사자도 사냥감을 잡으면서 쓸 데 없는 상처나 힘의 낭비를 꺼리게 마련이니까 말이다. 한국에서 자기네들 사업을 하고 싶어하는 외국 조직의 간섭이라거나, 혹은 경찰 조직이 끌어들인 어떤 거대한 단체의 수작이라면 무조건적으로 타협을 선택하는 편이 나았다.

경찰 입장에서도 그들의 손아귀 내부에 있는 조직의 간부가 존재하고, 다른 작은 수많은 범죄 조직들을 그들이 통제하는 것이 인력의 소모를 줄이면서 치안을 안정시킬 수 있는 방법일 테니까.
문제는 결국 어떤 인간이 어떤 목적으로 일을 저지르고 있는지 전혀 알 수 없다는 것이다.

그의 목을 옥죄어 오고 있는 상대가 어느 쪽인지를 알아야 어떤 식으로든 연락을 취해 타협안을 내밀어 볼텐데.

최길서의 발악은 그런 심경을 표현하는 것이었다.

그리 크지 않은 집무실이었다. 김도건의 것에 비한다면 말이다.

정감가는 목재, 진한 갈색 톤의 가구와 집기들로 채워져 있다. 그가 앉아 있는 의자나 데스크 역시. 내부 인테리어 자체가 목재 톤으로 되어 있고 서재나 비슷한 느낌도 조금 난다.

그의 뒤로는 섰을 때 머리 즈음에 오는 높이로 창문이 하나 나 있었고.

이런저런 서류나 꽃병, 그 외 다양한 집기가 있었는데 그는 그 모든 것들을 한 번에 쓸어내버려 집무실의 한쪽 바닥에 떨어뜨렸다.

카펫 위로 떨어졌음에도 꽃병은 큰 충격을 받아 깨졌다.

달칵, 하고 집무실의 문을 조심스레 열고 들어온 여비서 한 명은 내부의 광경을 보고 속으로 인상을 썼다. 최길서는 지랄을 자주하는 편이었다. 그녀로서는 달갑지 않은 사실이다.

"…사장님, 손님 한 분이 찾아오셨습니다."
"……손님이라고?"

이 시기에 찾아올만한 손님은 달리 없다. 최길서는 괴성을 지르며 물건들을 부수다가, 잠시 쉬는 시간에 들어온 여비서의 말에 미간을 찌푸렸다. 뭔 개소린가, 싶지만 보고를 하러 올라 온 부하 직원을 해칠 수도 없었다.

"누군데. 미리 연락 하고 찾아온 건가?"
"어, 김영석이라고 하면 알 거라고…."
"……뭐라고?"

최길서는 눈을 크게 떴다. 여비서가 잠깐 사이에 농담 실력이 많이 늘어난 것 같았다. 누구라고?

"……씨발 지금 무슨 개소리를 하는 거야. 누구라고?"
"김영석 씨라고…. 하면 알 거라고 했습니다. 30대 후반 정도 되어 보이는 남자 분이신데요……. 데스크에서 직원들이 난처해했지만 워낙 강권하는 바람에 저희도 일단 말씀은 드리는……."

"……."

최길서는 순간 머리가 정지했다. 자신이 아는 김영석이 맞았기 때문이다. 30대 후반. 자신의 나이보다 몇 살인가 어린 놈이었다. 그는. 비령 물산을 다같이 쳐서 그 간부진들을 처리하고, 마지막으로 김영석을 없앴다.

거기까지는 비령 계열의 간부들이 모조리 동의한 사안이었기에 누구보다도 잘 알고 이해했다. 실제로 일을 벌인 건 최기욱과 민형석 둘이었지만 다른 계열사 조직원들의 동의가 없었다면 시행하지 못했으리라.

간부진들 전체가 김영석이 위험하다, 고 판단했기 때문에 그를 주저없이 버린 것이었다. 목진형이라는 제어자를 잃어버린 김영석은 그 능력과 칼을 어디로 휘두를 지 모르는 맹견이나 비슷했다. 지나치게 잘 드는 칼은 주인에게도 버림받기 마련이었다.

김영석은 독자 생존을 꾀했겠지만 그를 받아줄 곳이 없었다.

그가 어떻게 죽었는 지도 대강은 안다. 제약사 본사에 연구 시설을 갖고 있는 민형석은 비령 그룹의 간부들 중에서도 평판이 그리 좋지 않은 인간이었다. 본격적인 인신매매를 그쪽에서 해대고 있었기에 말이다.

사람 하나를 죽여 없애고 또 다양한 연구 자료의 희생물로 쓰는 건 비령 제약의 특기라고 할만했다. 물론 그런 일들을 모든 연구원들이 동참하는 건 아니었고, 조직의 어둔 부분을 도맡아 처리하는 자들은 따로 있었다.

일반적인 제약사로서의 일도 겸하고 있었으니, 민간에서 들어오는 모든 사원들에게 그런 비밀을 공유했다가는 겉잡을 수 없는 일이 되리라.

간혹 일반 연구원으로 참여한 놈들 중에서 싹수가 보이는 경우는 선임 연구원, 비령 조직과 깊은 연을 맺은 사원들이 스카웃을 하는 형식으로 천천히 비리나 범죄에 손을 대게 만들기는 했다만.

스티브 블레어나 박민준, 유세정은 그런 기로에 서있던 것이었고, 개중 둘은 퇴사를 했고 한 명은 남았다.

비령 제약사의 표면적인 일이 아니라 비령 그룹의 내부적인 사업에 동참하게 되면서 연구원들은 점차 조직에 얽혀 벗어나기 힘든 신분이 될 테였다.

어쨌든 그런 인세의 구렁텅이같은 곳으로 김영석이 들어간 것을 알고 있었다. 최길서는 말이다. 제 형이 큰 저항을 하지 못하고 죽은 것처럼, 김영석 역시 조직의 거대한 굴레 사이로 들어가 찢어져 죽었을 테였는데.

그의 이름을 사칭하고 다니는 어떤 복수자일 확률도 있었다. 비령 물산은 유난히 조직원들 간에 끈끈함이 있었고 간부진들을 향한 충성도가 높은 파벌이었으니까.

"……박 비서."
"…예 사장님."

"아래층에 경비반 전부 불러서 집무실 근처로 대기시키고, ……
데려오게."

"……예."

박 비서, 라고 불린 묘령의 여인은 최길서의 지시에 고개를 꾸
벅 숙여 보이며 바깥으로 나갔다. 최길서는 자신의 데스크 아래에
빈 공간으로 손을 넣어서 책상을 거꾸로 더듬었다. 손에 잡히는 것
이 있었다.

짧은 나사를 박아 넣어 만들어둔 수납 공간이다. 물론 거기에는
위급한 상황에 써먹기 좋도록, 총 한 자루를 두었다. 장전도 이미
되어 있었고, 안전 장치도 풀려 있다. 최길서가 집무실에 출근을
해서 가장 먼저 하는 일은 그 총이 제대로 된 작동 상태인가 점검
하는 일이기도 했다.

집무실 내부에는 CCTV가 없었다. 이곳으로 통하는 통로에는 여
러 대가 있었지만.

톡, 톡.

최길서는 불안하다는 듯 손가락으로 데스크를 두드렸다.

자신은 이대로만 가면 비령 그룹의 후계권자 중 서열 1위가 될
수도 있었다. IT쪽 본사나 다른 계열사의 사장들 중에서 그보다 조
직 내 서열이 높고 목소리가 큰 자들이 있기는 했지만. 이전보다는
훨씬 회장직에 가까워지게 된 게 사실이다.

비령 그룹이라는 조직은 확실히 달콤했다. 이제부터 눈 앞에 펼

처질 난전만 잘 버티어낸다면 그는 그 그룹의 맨 윗자리에 앉을 수도 있으리라.

범죄 조직 사상 처음으로 거대한 규모를 일구어냈고, 각계의 협력자들을 모아서 양지에서도 그럴듯한 직함을 만들어냈다. 이전처럼 벌벌 떨며 공권력을 두려워할 필요도 없었고, 적당한 타협과 커뮤니케이션으로 목숨을 연명하면서 앞으로의 미래를 꾸려갈 수 있게 된 것이다.

협조, 라는 말이 참으로 좋았다. 공권력은 그들이 배척해야 할 대상은 아니었다. 그들 모두를 죽일 수도 없는 노릇이었고 말이다. 이 한국이라는 나라에서. 기생충처럼 살아간 그들이 버젓한 목숨을 얻게 된다. 그것만으로도 상당히 큰 의미였다.

최길서는 그런 범죄 조직 역사상 가장 의미 있는 한걸음에 자신의 이름을 박아 넣고 싶었다. 따라오게 되는 집단 내의 거대한 권력과 부, 명예 따위는 당연한 것이었다. 그렇게 된다면 말이다.

우선은, 자신의 이름을 건방지게 김영석이라고 밝힌 어느 미치광이를 보아야 할 차례였다. 단순히 재미없는 농담을 하는 놈이라면 이 방에서 곧바로 총을 쏠 준비마저 되어 있었다. 집무실은 방음 설비가 되어 있었고, 또 집무실이 있는 이 층 전체가 방음 구조로 만들어져 있다.

여차할 때를 대비해서 그렇게 만든 것이다. 불의의 사고가 일어나더라도 외부로 새어 나가지 않도록. 그런 채비가 있기에 그의 탁자 아래 권총 한 자루가 더욱 의미를 갖는다.

최길서는 작게 침을 삼켰다. 박 비서가 나간지 얼마나 되었는가.

그녀는 자신의 명령을 잘 이해했는가. 그는 문득 불안감이 들어서, 데스크 위에 붙어 있기에 그가 휩쓸었을 때도 떨어지지 않고 남아 있던 전화기에 손을 가져다 대었다. 오른 손은 데스크 아래, 권총의 수납 장소를 더듬으면서 왼팔만을 뻗어 집었다.

집무실 의자에 앉아 대부분의 일처리를 하기 좋게 만들어둔 사물들이다. 권총 역시 그러하다. 비령 공업을 이끄는 데 어떤 방해를 하는 놈들이 온다면, 그 입을 다물게 하기 위해 준비한 선물이다.

그가 왼손으로 수화기를 들었다. 무선식의 그것이 뽑혀 나왔고, 그는 수화기 몸통에 달려 있는 번호판으로 2번을 꾹 눌렀다. 비서실로의 전화였다. 집무실이 있는 층 가장 끝자리에 있는 공간이다. 박 비서를 비롯해서 세 명의 보좌관들이 번갈아가며 대기한다.

얼마 걸리지 않아 누군가 전화를 받았다.

-예 사장님. 보좌관 이길우 받았습니다.

최길서는 익숙한 사내의 목소리에 안도감을 느끼면서 말했다.

"어, 아래에 손님 하나 왔다던데. 김영석이라고 이름 댔다면서."
-아, 예…. 전해 들었습니다. 아까 박민영 실장이 안에 들어간 걸로 아는데 혹시 못들으셨습니까?
"아니, 들었어. 박 비서한테 올려 보내라고 했지. 그 전에 경비실 인원들 위층으로 전부 올려서 대기시키라고 했는데 먼저 했는지 모르겠네. 아래에 가서 확실히 좀 데려오게."
-예, 곧바로 불러오겠습니다.

"수고하게."

달칵, 하고 그가 수화기를 데스크의 한 쪽 구석에 있는 자리에 다시 갖다 넣었다. 전화기가 자리에 맞아 들어가면서 자연스럽게 통화는 끊어졌다.

최길서에게는 들리지 않지만, 집무실 바깥 복도 끝 쪽의 비서실에서 이길우가 나오면서 아래층으로 향한다.

"……."

사내는 주름진 자신의 얼굴이 생각나 쓰다듬었다. 긴장을 하고 있는 모양이었다. 어떤 미치광이인 줄은 모르겠지만, 버젓이 자신의 회사 사옥에 찾아오다니 어지간히 정신나간 놈이 아닐 수 없었다.

공업사의 주요 일처리를 하고 있는 사옥은 다른 계열사에 비하면 서울 다소 변두리에 있었다. 14층짜리 건물이었고, 지하를 포함하면 17층이다. 그가 있는 집무실은 14층이었으며 아래로 경비실이 있었는데, 경비원들은 비령 그룹의 조직원들을 뜻한다.

제각기 무기를 들고 있는 살벌한 조폭들이 순번에 맞추어 대기를 하고 특근 수당을 받는 식이다. 공업사 계열 조직원들 중 솜씨가 좋고 힘이 좋은 녀석들을 위주로 뽑는 것이었으므로, 지금 당장도 30명 정도가 아래 층 각 방에 대기하고 있을 테였다.

현재 조직은 전체적으로 비상 상태였으므로, 살아남은 간부들이 느끼는 위험과 그에 따른 경계도는 최상의 수준이다. 과하지 않은

가 싶을 정도로 자신들의 목숨을 챙기려 든다는 말이었다. 사장실이 있는 14층 복도에서 권총탄이 발사되어도 주변으로 소리가 새어나가지 않는다. 특별한 시공을 거친 곳이었고, 13층 경비실에 있는 조원들은 모두가 권총을 소지하고 있었다.

그로서도 무리한 짓이었지만, 어쩔 수 없다. 걸리지만 않으면 될 일이었고, 지금 찾아오는 김영석이라는 인물이 한 짓거리인지는 몰라도 하나 둘씩 간부들이 죽어나갔으니까.

그가 초조하게 앉아 있는 와중에, 다시금 띠리리 하는 전화음이 울렸다. 그는 데스크의 검은색 수화기를 집어 들어 받았다.

"어."
―…예 사장님. 보좌관 이길우입니다. 말씀하신대로 경비조 인원들 14층 각방에 대기시켰습니다. 몇 명은 사장님 집무실 양 옆 복도에 서 있습니다. 전인원 무장 갖췄고 경계 중입니다.
"…잘했네. 아래에 방문한 자는?"
―어, 예. 김영석 씨 데리러 금방 박 실장이 내려갔습니다. 2, 3분 있다가 올라올 것 같습니다.
"…그래."

최길서는 그 말에 다소의 안심을 할 수 있었다. 어떤 미친놈인지는 몰라도 이런 상황에서 섣불리 일을 벌이기 어려울 것이다. 그가 버튼 하나만 누르면 그대로 14층에 있는 전 인원에게 비상 알람이 간다.
몇 번의 훈련과 연습을 거쳐서, 그대로 복도 가장 안 쪽에 있는 집무실로 들이닥쳐 전투 태세로 싸움에 임하는 것이 공업사 경비조 인원들의 전투 계획이었다.

그가 앉아 있는 집무용 데스크는 묵직한 감이 느껴지는 제법 큰 탁자다. 무릎의 양 옆 쪽으로 서랍이 있지만 그 사이에 있는 빈 공간만 하더라도 충분히 적잖은 체구의 그가 기어 들어가 넉넉하게 숨을 수 있는 크기였다.

특수하게 만들어진 데스크였고, 일반적인 총탄이라면 연발로 갈겨도 뚫지 못한다. 두툼하게 만들어진 원목 소재의 가운데 강철판 따위를 덧대어 지은 것이라 그렇다. 거기에 견제 사격을 하며 시간을 버는 동안 바깥에서 경비조원들이 들이 닥치고, 곧 고립된 실내에서 상대는 무수한 사격을 받아 죽을 것이다.

과연 그럴 일이 있겠는가, 싶기는 하지만 영화적인 상상력이 자꾸만 동원된다. 근래 있었던 여러 사건들이 최길서를 그런 인간으로 만들고 있었다.

최길서의 뒷목을 따스하게 햇볕이 감싼다. 오후의 햇살이었다. 그는 오늘이 며칠인지 떠올렸다.
9월 6일. 수요일이다.

지난 주에 비령 그룹의 회장이 죽었다. 불과 며칠 전의 일이었고, 그 사이 자신은 끔찍한 스트레스에 시달렸다.

지금 역시 마찬가지로 긴장감이 올라오고 있는 상황이다. 그런 그를 어루만지듯 잠깐의 햇빛이 지나가자 최길서는 오래 묵은 심려를 털어내듯 한 숨을 쉬었다.

똑똑.

익숙한 노크 소리가 들렸다. 최초의 그것은, 아마 그가 집무실의 집기를 집어 던지고 있느라 듣지 못했으리라.

이번에는 그가 직접 또렷한 목소리로 크게 말했다.

"……들어오게."

다소 불편한 일이기는 했다. 집무실의 방음을 상당한 수준으로 해놓아서, 일부러 또렷이 말을 하지 않으면 바깥에 선 부하 직원에게 의사가 제대로 전달되지 않는 점이 말이다.

박 비서는 바짝 고개를 문 근처에 대서 기다리고 있다가, 천천히 문을 열었다.

15. 파리지옥

영석은 문을 열어주는 친절한 비서에게 웃음을 지어보였다. 30대 초반 정도 되어 보이는 아가씨였다. 열린 문틈 사이로 들어가는 그다.

사라지는 그의 뒤켠, 집무실의 문 양쪽에는 가드들이 도열한 채 있었다. 슬쩍 김영석을 바라보기도 하는 등, 은근히 견제하기도 한다. 실내에서 양복에 어울리는 적당한 모자 하나를 푹 눌러쓴 그는 방 안에 들어가면서 그것을 벗었다.

깔끔한 안면으로 인사하는데, 그의 눈 앞에 보이는 친구는 오랜만에 보는 녀석이었다. 최길서. 비령 공업의 사장. 영석과 진형으로서는 그다지 관계가 없던 놈이었지만, 비령 물산이 몰락할 때 거들지 않았을 리가 없다.

그게 아니더라도 비령 그룹은 이제 슬슬 사라져야지 않겠는가, 싶은 집단이었고. 영석은 사냥을 하고 있었다. 목표물이 정해져 있는 사냥이었고, 뒤로 갈수록 일이 쉬워질 것이다.

"여."
"……."

최길서는 모자를 벗고 그에게 인사하는 사내의 인상에 표정을 움직일 수 없었다. 그에게 왜 이런 일이 벌어지는지 이해할 수 없었다.

귀신을 본 표정이라고 한다면 정확하리라. 죽은 줄로만 알았던 자가 돌아왔으니, 상리를 초월했으니 비슷할 것이다.

거기다 최길서는 김영석에게 빚이 있었다. 비령 물산을 칠 때 공업 쪽의 말단들도 일부 습격을 도왔다. 각 간부들이 다른 파벌의 말단들까지 얼굴을 외우기는 어려웠기에, 후환에 대한 염려를 하지 않고 보냈던 지원이었다.

최길서는 자신도 모르게 조금쯤 입이 벌어졌다. 40대 초반의 사내였다, 그는. 평범한 인상에 약간의 흰 머리가 있었고, 중간 체격에서 조금 살이 오른 체형이다. 잘 다려진 양복을 입고 시원한 집무실 내부에 있었다. 그의 오른 손은 여전히 테이블 아래다. 최길서는 김영석의 표정을 다시금 잘 살폈다.

히쭉, 웃어보이는 익숙한 인상의 사내는 역시 그가 알고 있는 인간이었다. 죽은 줄 알았던 김영석이 살아 돌아왔다. 비령 제약쪽의 인사와 결탁이라도 했던 건가? 그런 게 아니라면 도저히 말이 안되는 일이다.

김영석은 늘 비령 그룹에서 머리가 가장 잘 돌아가는 놈이었고, 언제나 목진형과 함께 놀라운 기지를 보이며 불가능하다고 생각되었던 여러 임무들을 처리했다.

범죄 조직의 임무라는 게 결국 상대 조직의 척살이나 뭐 그런 것들이었는데, 영석과 진형은 늘 가장 어려운 곳에 투입되어 멀쩡하게 살아 돌아오는 것으로 유명한 콤비였다. 다른 놈들은 한 두번 넘기도 어려운 사선을 늘상 넘으며 입증한 실력은 훗날 그 시기를 겪었던 간부진들의 두려움이 되었다.

그래, 김영석은 늘 저렇게 웃었다. 기분이 아주 안 좋을때 말이다. 그의 성격을 잘 아는 최길서는 소름이 돋는 걸 느꼈다. 1초 1초, 시간이 지날 때마다 김영석의 존재가 현실감 있게 그에게 다가오고 있었다.

그가 떨리는 말소리로 이야기했다.

"…살아…… 있던 건가? 어떻게 된 거지? 민형석이나 최기욱에게 당했다고 들었는데… 또 누구랑 손을 잡은 건가?"

길서는 떠듬거리면서 자신의 생각을 이야기했다. 세상에 어떤 첨단 기술이 있어서 완벽한 변장을 해냈다고 하더라도, 저 정도로 정교하게 해내기는 힘들 것이다. 김영석의 쌍둥이 형제가 있다거나, 저 표정과 미세한 기색까지 흉내낼 수 있는 닮은 꼴의 사내가 연기를 하고 있는 것이라면 모를까.

영석이 입을 열면서 그런 생각은 사라졌다. 목소리가 같았고, 대화의 내용이 그가 아는 김영석의 그것이었다.

"어… 자네에게 친절히 대답해 줄 의무는 없는데. 죽다 살아났지. 조금 더 과장해서 말하면 죽었다가 살아났고. 오랜만에 그룹 사람과 이야기를 나누니 좋기는 하군. 잘 있었나?"

턱, 하고 목구멍에서 말이 막힌 것 같았다. 최길서는 머릿속에서 무수한 번민이 지나감을 느낀다. 건방지게 몇 살 위의 자신에게 반말을 찍찍 내뱉는 꼴이나, 그 말투와 목소리가 참으로 낯익은 종류다.

최길서는 조금 느리게 대답했다. 그의 목 뒷덜미를 여전히 오후의 햇살이 쓰다듬고 있었지만 그 따스함은 이제 전혀 느껴지지 않았다.

서늘한 한기가 도리어 차올랐지. 그는 몸이 식고 손끝이 차가워진다고 문득 느꼈다.

"……자, ……네가 최기욱과 민형석… 전호식 등을 모조리 죽인 건가? 어떻게?"

그의 손끝이 테이블 아래의 버튼 근처로 향했다. 무릎 위 테이블 아랫면을 더듬는 오른손이 조금만 오른쪽으로 가면 권총이 들어 있는 수납칸이었고, 왼쪽으로 가면 곧바로 위험 상황을 알리는 버튼이었다.

누름과 동시에 집무실 바깥 복도에 있는 놈들부터, 14층 전체에 대기하고 있는 경비조 인원들이 들이닥칠 테였다. 그에 최길서는 테이블 아래로 숨어야 했고, 보이는 외부인인 김영석에게 곧장 수십 개의 권총이 총알을 난사할 테다.

그의 손이 버튼 아래로 향했다. 보이지 않게 아주 천천히, 대화를 하고 영석의 주의를 끌면서 말이다. 대놓고 크게 움직인다면 어색해 보일 수 있어서, 버튼과 무릎 사이 그 즈음에 손을 두고 상황을 보고 있었다.

곧바로 손을 위로 움직이면 상황이 전개될 테다.

영석은 묘한 웃음을 띠웠다. 최길서는 긴장한 낯빛, 또 창백한 얼굴 표정으로 그를 바라보았다. 김영석은 그런 그의 꼴이 웃기다는 듯이 굴었다.

"하하. 하하하하."

그리고 마른 웃음을 토해냈다. 그 표정과 웃음 소리에, 메마른 감정이 느껴진다. 도리어 더 따라 웃지 못할 것 같은 웃음이었다. 김영석의 휜 눈매 사이로 빛나는 눈동자가 서늘한 투여서 그럴 지도 모른다. 김영석은 웃으면서도 눈을 다 감지 않고 최길서를 바라보고 있었다.

최길서는 긴장감으로 손끝을 파르르 떨었다. 김영석은 입을 연다.

"이렇게."

휙.

하고 바람을 가르는 소리는 칼날이 날아가는 것이었다.

김영석은 입고 있는 재킷을 한 번 떨었다. 그의 움직임은 비정상적으로 빨랐다. 오른 팔의 소매를 떨자 그 내부에서 작은 나이프 하나가 흘러 나왔다. 떨어지는 나이프의 손잡이를 그대로 잡고 단도를 던진다.

온전히 검은 쇠로 이루어진 칼날이 허공을 날았고, 총알만치 빠른 기세로 허공을 날았다. 직선상, 약간 아래로 떨어지며 꽂힌 나이프의 칼날이다. 칼날이 꿰뚫은 것은, 최길서의 목이었다. "컥." 하는 숨이 멎는 단말마와 함께 그는 정신을 잃었다.

아득해지는 블랙 아웃 이전에, 최길서가 이상한 낌새를 눈치채고 곧바로 손을 올렸다. 틱, 하고 작은 버튼을 누른 직후가 그가 칼날을 맞은 시점이다.

뼈와 함께 목 내부의 기관들이 모조리 찢겨 나가고 부러졌다.

초인적인 힘으로 날아간 검은 단번에 최길서를 절명시켰고,

최길서가 저지른 행동이 이제 김영석을 죽이기 위해 덮쳐왔다.

삐이이이이이이이이-!

귀따가운 소리가 순식간에 14층 전체에 울렸다. 집무실 내부에서도 고성의 알람 소리가 터져 나왔다. 소리는 곧 복도와 모든 경비조원들이 대기하고 있는 룸 내부에 울리는 것이었고, 오래도록 연습하고 훈련했으나 실제 상황이 되리라고는 짐작하지 못하고 있던 자들이 몸에 익은대로 튕겨 나오듯 자신들의 위치에서 달렸다.

가장 먼저 집무실의 문을 연 것은 물론, 바로 복도에 서 있던 7명의 조원이었다. 콱! 하고 문을 박차면서 들어오는 기세 좋은 사내, 김민수가 본 것은 자신의 시야를 가리는 검은 형체였다.

집무실의 오른쪽 문을 부술 듯이 차며 들어온 김민수의 앞을, 김영석이 가리며 퍽, 쳤다. 짧은 스트레이트였지만 그대로 턱이 돌아가면서 정신을 잃었고, 영석은 힘이 풀리는 김민수의 몸뚱이를 팔로 안아 집무실 내부로 끌어들여 안쪽으로 열린 문을 타고 벽면으로 붙는다.

다행히, 김민수의 손에는 권총이 들려 있었다.

그는 이미 장전된 그것을 뽑아내듯 잡아채고 김민수의 몸뚱이를 앞세운 채, 밀려 들어오는 자들에게 난사를 하듯 갈겼다. 탕, 탕, 타탕!

점사로 날아가는 권총탄이 연이어 들어오는 경비조원들의 급소를 맞추었다. 영석은 김민수의 몸을 뒤에서 받쳐 세우면서 자신은 앉았다. 상대가 조준하는 시간이 늘어나게 하기 위함이었다.

힐끗 고개를 뺐을 때 보인 희미한 장면만으로도 영석은 순식간에 들어오는 이들의 몸뚱이를 전부 맞춰 쓰러뜨렸고, "씨발!" 뒤늦게 비명처럼 욕을 내지르며 들어오는 사내 하나를 더 죽였다.

박 비서, 혹은 박 실장이라 불린 여인은 집무실 쪽으로 다가오지 못하고 측면 복도로 빠져 있었다. 그녀는 이미 알고 있던 소리였지만 실제로 들리리라 상상하지 못했던 비상 사태의 알람이 들리고, 사내들이 거칠게 밀고 들어가는 모습을 보면서 몸을 떨었다. 그리고 총성이 들려오며 들어가던 이들이 문 앞에서 총을 맞아 쓰러져 죽는 꼴을 보고 자리에 주저 앉았다.

조직 폭력배 집단인 비령 공업의 사장 비서로 일하면서 각오하지 않은 바는 아니었지만, 머리로 생각한 것과 실제는 늘 조금 다르게 마련이었다.

정장 바지를 입고 있는 그녀였고, 그대로 집무실 쪽을 바라보고 쓰러져 막다른 벽면에 등을 기댄 채 부들부들 떨었다.

탕!

권총탄의 격발음은 쉴 새 없이 터져나왔다.

*

철컥,

하고 공이가 빈 공간을 때리는 느낌이었다. 쥐어진 권총의 총알
이 다했다. 영석은 그대로 널브러진 시체들 사이로 다가갔다. 탕!

하고 그 때 집무실의 문쪽으로 다가가는 영석에게 총알이 날아
왔다. 다행히 빗맞았다. 그는 따로 방탄 조끼를 입고 있지 않았다.
그는 날듯이, 앞구르기를 하며 뛰었다. 땅에 닿지 않고 낮은 높이
로 덤블링을 하는 그는 그 찰나에 쓰러진 시체들 사이의 권총을
보고 집었다.

그야말로 묘기였고, 탕! 하고 귀따가운 총성이 몇 번 더 울렸다.
그가 다시 집무실의 다른 쪽 벽면에 붙어 있었다. 손을 뻗어 시체
한 구의 다리를 잡아 끌었다. 훅, 하고 그가 뒤로 몸을 옮기면서
끌자 몇 명의 건장한 사내들이 시체로 변했고 또 그 아래에 깔려
있던 한 구가 빠져 나왔다. 그는 그대로 그것을 방패로 쓸 셈이었
다.

"으아아아!"

비령 그룹의 조직원들은 하나같이 괴성이나, 기합, 혹은 비명을
질렀다. 영석이 자주 마주하는 모습들이었다. 패기 없는 놈들, 이라
고 핀잔을 주기에는 김영석이 보이고 있는 활약이 지나치게 비인
간적인 경우다.

순식간에 몇 명이 쓰러져 죽은 것을 보고 달려오던 놈들도 반응이 갈렸다. 훈련대로 대기실에서 뛰쳐 나와 방 안에 들어오는 놈들이 있었고, 그 뒤에 거리가 좀 있던 자들은 멈칫거리면서 상황을 파악하려 했다.

무슨 일이 있는 거지.

한 명의 사내가 사장의 집무실 내부로 들어간 것 까지는 파악을 했다. 김영석이라는 이름은, 말단들도 알고는 있는 이름이었다. 흔한 이름이었지만, 얼마 전에 죽은 비령 그룹 간부의 이름이 그것이었다.

자세한 사연을 모르는 놈들은 그것만으로 간부진들이 파악하고 있던 일련의 괴현상을 추리해내지는 못했지만, 어쨌든 말도 안되는 전투 실력을 가진 괴인이 침투했다는 건 이해했다. 타타탕!

하고 총성이 집무실이 있는 14층 복도를 울렸다. 집무실 문은 오른쪽 문 하나가 집무실 쪽으로 활짝 열려 있다. 다른 쪽 문은 몇 번의 총격이 가해져 흉한 구멍이 나 있었다.

밀고 들어가는 경비조원들 중 뒤쪽에 선 한 사내, 기수정은 꿈벅거리면서 눈을 감았다가, 떴다. 짧게 머리를 깎고 있는 그다. 멀대처럼 큰 키라 시야가 잘 확보된다.

13층에 대기하고 있던 경비조 인원 전원이 올라와 있는 것이다. 얼핏 세어도 서른 명 가까이 된다. 그런 인원들 중 벌써 몇 놈이 시체가 된 것인지 알 수가 없다.

거기다가 계속해서 방 안으로 밀고 들어가는 놈들이었는데, 계속 총성이 들린다. 전투가 끝나지 않았다는 말이고, 적은 한 명으로 추정된다. 그 말은 저 총성으로 인해서 죽고 있는 것이 모조리 자신들의 편이라는 이야기였다.

그게, 말이 되나?

이 좁은 건물 내부에서 총격전을 벌이는 데 한 명이 서른 명을 압도한다는 게 말이다.

수정은 불길한 상상과 생각이 들어 입을 벌린 채 다물지 못했다. 아직까지 경비조원들 중 앞에 선 놈들은 계속 집무실로 들어가고 있었다.

탕!

시끄럽게도, 여러 정의 권총이 소리를 내고 있어 마치 연발 사격이 가능한 기관총이라도 들고 난리를 피우는 듯 총성이 가득했다. 매케한 화약 냄새와 핏물의 냄새가 코를 찌른다. 그런 감각이 선명하게 느껴진다는 게, 수정으로서 이 전투 상황에서 조금 멀어져 있다는 사실을 깨닫게 해주었다.

그는 두려웠고, 머리를 쓰고 있었다. 집무실로 향하는 문이 마치 괴물의 아가리처럼 느껴졌고,
빌어먹게도,
또 놀랍게도 심지어 그의 차례가 올 때까지 내부의 총성은 계속되고 있었다,

어느새 수북히 쌓인 발치의 시체를 밀고 넘어 들어가던 앞놈이 눈 앞에서 죽어서 집무실 바닥 쪽으로 쓰러진 시체가 된다.

기수정은 "으아아아아!" 비명처럼 소리를 지르면서 권총을 들고, 적이 있으리라 생각되는 방향으로 고개를 돌리며 방아쇠를 당겼다. 그의 앞을 가로막는 경비조원이 아무도 없었다.

탕!

그가 쏘기 전에 누군가가 먼저 총을 쐈다.

기수정이 집무실 내부로 머리를 디밀며 손가락을 움직여야지, 하던 시점이었다.

여러 구의 시체를 마치 바리케이트처럼 쌓아두고 사격을 하는 김영석, 누군가의 머리가 보이자마자 그것을 노려 사격했고, 맞추었다.

좁은 문을 통해서 밀고 들어오는 게 패착이었다. 거기다 모두가 총을 들고 있었다. 탄알도 덕분에 아주 넉넉했다. 그의 뒤로 쟁여 놓은 권총만 두 정이 더 있었다.

쓸 데 없이 두껍게 만들어 놓은 집무실의 벽 구조가 아주 튼튼했다. 벽면에 몸을 숨기고 있으면, 문을 통해 들어오는 놈들이 아니라면 그를 쏴 죽일 수가 없었다.

인간의 반응 속도는 아무리 빠르게 움직여도 0.몇 초 수준의 지연 시간이 있게 마련이었고, 그건 마구잡이의 난사를 하지 않는 이상은 영석을 바라보고 조준을 한 뒤 쏠 때까지의 빈틈에 더해진다.

여러 명이 기세 좋게 들어오는 것은 쓸만한 전략이었다. 몇 명 정도가 방패삼아 죽게 되더라도, 그 뒤의 인원들이 반드시 복수를 할 수 있었으리라.

달려들듯 들어오는 여러 명의 사내들을 마치 멈춘 사진 속의 인물들처럼 보고 침착하게 조준 사격할 수 있는 초인이 아니었다면 말이다.

영석의 반응 속도는 인간의 그것과는 아주 달랐고, 0.0몇 초 수준으로 떨어뜨릴 수 있는 그는 누군가가 시야에 걸리자마자 거의 동시에 사격을 했다.

집무실은 괴물의 아가리가 맞았고, 조직원들을 정겹게 반기고 있는 덫의 입구였다.

*

16. 도주

서른 명을 처리하는 데 의외로 그렇게 오래 걸리지 않았다.

쌓인 조직원들의 시체나, 혹은 갖가지 집기를 넘어뜨리고 끌어와 엄폐물을 삼고 계속해서 근거리 교전을 이어나갔다.

차라리 수류탄이라도 까넣었으면 모르겠는데. 몇 명씩 들어와 방 내부에서 자신의 위치를 찾기 위해 몇 초씩 여유 시간을 주는 건 하나하나 먹이를 던져주는 일 밖에 되지 않았다.

그들이 영석을 맞출 수 있었으려면 최초에, 알람이 울리고 집무실 문 앞에 섰을 때 문 너머에서 보이지 않아도 난사를 했다면 유일하게 맞췄겠다만은.

서로 시야가 확보된 상황에서 총격전을 벌이고, 또 미리 입구 근처에 조준선을 맞추고 있는 영석에게 뒤늦은 사격을 하러 들어오는 입장이라면 질 수 밖에 없는 싸움이었다.

한 번의 실수나 돌발상황, 혹은 적의 기지奇智가 있었다면 무너지는 아슬아슬한 난이도의 게임을 반복하는 셈이었지만, 영석으로서는 그런 게임이 가장 쉬웠다. 동체시력과 반사신경, 정확한 근육 운동을 요구하는 극악한 난이도이지만 셋 모두 영석이 초인적인 수준의 능력을 보유하고 있는 분야였으니 말이다.

"푸."

입가에 묻은 더러운 액체나 혹은 땀, 먼지, 부서진 집기로부터 나오는 나무 부스러기 따위를 뱉어낸 김영석은 자리에서 일어났다.
그의 앞에는 사람의 몸뚱이나 나무 가구들이 널브러져 임시 참호벽같은 것을 형성하고 있었다.

"……."

14층은 고요했다. 13층에 있던 인원이 전부 올라온 탓도 있었고, 상층부는 건물에서 따로 고립되어 지어진 곳이라 외부로 그 소리가 잘 새어나가지 않는 이유다.

죽은 자들은 말이 없었다.

김영석은 혼자 걸었다. 저벅, 저벅 하고.

문 앞을 거의 허리 즈음의 높이까지 막고 있는 것이 널브러진 시체들이었다. 그것을 언덕을 넘듯 밟고 넘어서는 영석이다. 질퍽거리는 지면을 지나 그 너머, 복도로 향했다.

탕!

총성이 울렸다. 영석은 총에 몇 발인가 남은 권총을 쥐고 있었지만, 그가 방아쇠를 당기지 않았다. 그는 복도에 남아 있던 한 명의 사내를 보았다. 영석의 옆으로 한참이나 빗겨 나간 사격이지만 위협적이다. 떨리는 손으로 눈 앞에 보이는 사내를 맞추지 못한 형편없는 실력이지만, 다음 사격은 어찌 될 지 모른다. 쭉 뻗은 전방 복도의 대기실에 숨어 있다가 영석이 나타나자마자 모습을 드러내어 쏜 것이다.

영석은 방으로부터 반쯤 몸을 내밀고 사격한 사내에게 곧바로 탕, 하고 방아쇠를 당겨 돌려주었다. 빗나갔다는 걸 안 마지막 남은 경비조가 황급히 숨으려 했지만 복부에 총알을 맞고 말았다. "끄어어억!" 거친 비명을 지르면서 그가 방 쪽으로 넘어졌고, 그걸로 끝이었다. 보통은 총에 맞고서는 살지 못한다.

그러고서도 거칠게 반항하는 모습들은 대개 영화의 영향이거나, 초인적인 정신력, 혹은 불굴의 의지 따위가 필요하다. 조직원에게는 어떤 것도 없는 모양이었다.

미세한 숨소리가 들렸다. 영석은 눈가, 시야의 끄트머리에 잡히는 인기척을 느끼고 빙글 고개를 돌렸다. 14층은 좌우로도 길이 나 있었다. 집무실에서 나오자마자 양 옆으로 복도가 뻗은 것이다. 그 쪽에는 외부로 향하는 문이 있거나, 혹은 화장실 따위가 있는 모양이다.

영석이 나오고 왼 쪽으로 고개를 돌렸다. 복도의 끄트머리 부분, 어두운 곳에 여성 한 명이 있었다. 그를 데려다 주었던 비서였다.

별다른 무기를 갖고 있지도 않았고, 공격 의사도 없어 보이기에 영석은 그냥 지나가기로 했다. 직접적으로 그를 치러 오지 않는 공격조가 아니라면 비령 그룹과 얼마나 얽혀 있는지 구분하는 게 상당히 어려운 일이었다. 애매한 인간들까지 모두 죽였다가는 그가 지나가는 일대에 흔적조차 남지 않을 것이다.
비령 그룹은 거대한 조직이었고, 멍청하고 부술 줄 밖에 모르는 조직원들로 그 집단을 이끌어갈 수 없었기에 많은 외부 인원들을 일반 사원으로 받아들인 상태였다.

잠시 박 실장, 박미연을 처다보던 영석은 그대로 긴 복도를 지나 13층으로 내려갔다.

*

콰장창! 하는 소리가 났다. 13층에도 그다지 인기척은 없었다. 특별히 공업사 사장의 지시가 없으면 올라오는 공간은 아닌 모양이다. 영석으로서는 다행이었다.

그는 13층에 내려서 어느 열려 있는 방으로 들어갔다. 그곳은 보통 경비조 인원들이 대기하고 있는 경비원실이었고, 나름대로 깔끔하고 넓게 만들어진 인테리어를 눈으로 담으며 그대로 창가로 직진했다.

그리고서 커텐을 두둑, 뜯어 창문 위로 덮고는 그대로 깨부수며 난 소리였다.

주머니에서 너클을 들어 정확한 부위를 타격하자 두 번만에 박살이 났다. 고층 건물의 창이기에 나름대로 튼튼한 것으로 지어졌지만 영석의 너클을 낀 주먹이 더 강했던 모양이다.

그대로 사람이 지나갈만하게 틈을 만들어낸 영석은 창문의 바깥, 반대편을 바라 보았다.

공업사 건물을 올라오기 전에 주변 지형을 충분하게 살핀 뒤였다. 적당한 출입로가 보였다. 바깥으로 빠져서 반대 건물까지 그리 멀지 않았다. 고작해야 3, 4미터 정도. 그대로 뛰면 옆 건물의 외부 층계에 닿으리라. 철제로 만들어진 난간이었고 그대로 바닥까지 이어져 있었다.

옆 건물의 외부 비상문이 있었는데, 그가 뛰는 그 타이밍에 맞춰 운 나쁘게 누군가 튀어 나오지만 않는다면 문제는 없어 보였다. 제 몸을 그 속에 구겨 넣어, 바깥으로 몸을 빼는 영석이다.

유연성 역시 적잖이 증가한 모양이다. 어렵잖게 자세를 잡는다.

몸의 대부분은 허공, 빌딩의 바깥으로 빼고 두 발만 탄탄하게 창틀에 댔다. 거덜낸 유리 파편을 조심하며 손으로 잡을만한 곳을 잡아 잠시 자세를 유지하다가, 주저 없이 뛰었다.

허공을 나는 그의 모습이 날다람쥐나, 뭐 그런 종류를 연상시킨다. 잠깐의 허공 중 비행 끝에 텅! 하는 강렬한 소리와 함께 철제 난간이 강하게 흔들렸다. 본디 그 정도의 충격을 견디도록 지어진 난간은 아닌 모양이었다.

다행히 나사가 빠진다거나 하는 일은 없었고, 얇아 보이도록 지어진 철제 난간이 버티어 섰다. 영석은 제 몸을 툭툭 털었다. 손에는 쥐고 있던 커튼의 조각이 있었다. 그는 그것으로 옷에 묻은 온갖 오물들을 털고, 재킷의 경우는 그냥 벗어서 안감이 보이도록 뒤집었다. 원래 그렇게 입는 종류였고, 방수 재질이었기에 어색하지 않았다.

그는 공업사 건물 근처 어느 공터에 차를 한 대 세워두었다. 와이셔츠까지 피가 튀긴 자국이 있어 난간을 걸어 내려가며 그냥 벗어버렸다. 어깨에 옷더미를 걸치고 그는 피곤한 투로 천천히 걸어, 인적이 없는가 살피며 골목을 지나 공터까지 다다랐다.

CCTV 중 어느 곳에 걸릴 지도 모르겠지만, 신경 쓸 여력이 없었다.

그는 그저 오래지 않아 찾은 자신의 차에 감사하며 들어가 곧바로 시동을 켰고, 골목을 벗어나 서울 중심지로 다시 향했다.

*

누아르, 물의 주인공처럼 살고 싶다는 생각을 해 본 적은 단언컨데 한 번도 없었다.

영석의 말이었다.

어린 시절부터 살아남기 위해서 애를 썼다. 비참한 인생이었으며, 뒷골목의 불량배에 지나지 않던 그는 자연스럽게 범죄 조직의 말단이 되었다.

비루한 인생이었고, 쓰레기같은 삶이었다. 가난이나 결핍이 그의 삶의 변명이 되어주지는 못한다. 되는대로 살아왔고, 잡히는 대로 패고 부수며 살았다.

몸이 컸을 무렵에는 당시 중소 규모의 조직이었던 비령 조직의 제안을 받았으며 더욱 지독한 곳으로 기어 들어가 그곳에서 연명했다.

그의 손으로 없앤 패거리가 셀 수 없다. 엄연히 법치가 존재하는 한국 사회에서 그가 끝낸 목숨을 세어 보자면 경악을 금치 못할 것이다. 사법적 절차 없이 그가 죽여댄 인간의 목숨을 죄의 값으로 그에게 매기면 그는 사형을 받아 마땅한 인간이다.

그럼에도 불구하고 살았다. 쓰레기같은 인간이지만 염치도 없이 말이다.

그에게 있어 삶이란 비루한 것이었고 '제것으로 삼고 싶지 않은 것'이었다.

누군가가 떠맡긴 과도한 짐을 이겨내기 위해 버티듯 산 삶이다.

눈물을 흘리지 않은 날이 많았다. 역설적으로, 그 모든 날이 애통으로 차 있었음을 아마 스스로도 알고 있었을 것이다.

구덩이같은 곳에서 살아서 기어 나왔고, 형제같은 인간을 하나 만났다. 마지막에는 그의 손도 채 잡아주지 못했고, 모든 그럴싸한 이야기가 끝나고 말았다.
병신같은 삶에서 그나마 이야기다운 것을 만들어가던 우정이었는데, 그가 고통스러울 때 도와주지 못했기에 그저 그렇게 끝나버리고 말았다.

병실에서 형을 두고 운 것은 평생 잊지 못할 기억이리라. 그렇게 떠나보내고, 얼마 지나지 않아 자신의 죽음 역시 마주했다.
영석과 진형이 여태껏 살아남을 수 있었던 건 둘 간의 신뢰가 공고했기 때문일지 모른다. 떨어진 끈에 달린 연은 바람에 휩쓸려 어딘가로 날아가버리게 마련이었고. 동료를 잃은 그는 이전보다 훨씬 나약하고 빈틈 투성이의 존재가 되었다.

생각보다 쉽게 누군가의 함정에 걸려들어 죽을 위기에 처했고, 거진 죽었다.

그에게 생긴 비현실적이고 비정상적인 현상이 아니었다면 그는 반드시 죽었을 것이다.

인간적인 상식과 계산으로 자신의 삶과 앞날을 생각해보건데, 그는 그 자리에서 이미 죽음을 체험했다.

한 번 죽은 인간은 뒤를 돌아볼 이유도 여유도 없게 된다. 자신의 삶에 과오가 있었더라고 하더라도 이제는 앞선 날들을 생각할 것 밖에는 없는 것이다.

무엇을 해야 하는가.
마침 가능한 능력이 그에게 주어졌다.
혼자의 힘으로도 집단을 붕괴시킬 수 있을 정도의 능력 말이다.

영석은 거침이 없었고, 자신이 속했던 구렁텅이이기에 그 밑바닥을 아는 거대한 집단을 무너뜨리기로 결심했다.
하루라도 빨리 쓰러진다면 나라에 좋을 일이리라.
너무 길게, 또 오래 살아온 집단이다. 비령 그룹은. 그 빈자리에 어떤 쓰레기가 자리를 차지하고 앉아 떵떵거릴 지 모르겠지만, 그때는 또 그 당시에 생각해볼 일이다.

대개의 간부들은 모조리 목숨을 잃었다. 이제 남은 자들은 각 계열사의 우두머리가 아닌 2, 3인자들과 비령 그룹에 직접적으로 투자를 했던 사회의 유력자들이다.

그들의 명부에 대해서는 영석 역시 대강은 알고 있었다. 긴밀하게 회장과 연을 맺고 자주 이야기를 나누는 이들 말이다.

철커덕.

그는 서울 시내의 어느 인적 없는 무인 모텔의 내부에서 자신의 총기를 점검했다. 이상이 없는지 확인하고, 윤활유를 발라 윤을 내고 거스름을 닦고.

고된 일정을 소화하고 있는 무기였고, 언제나 정확한 성능을 내주어야 할 의무가 있는 놈들이었다.

영석은 몇 정의 권총을 완벽하게 정리했다. 원래 그가 갖고 있던 건 세 정이었는데 최길서의 암살을 위해 움직였다가 한 정을 더 얻어왔다. 이름 모를 조직원이 갖고 있던 물건이다.

대개는 플라스틱을 외장으로 하는 자동권총이었다. 한 종류는 다소 묵직한 철제다. 조직원이 갖고 있던 것이었다.

한 두 시간 정도에 걸쳐 빠짐없이 정비를 한 그는 밤이 깊어지면서 잠에 들었다. 공업사에 들른 것이 전 날의 일이었다. 9월 7일 목요일 밤.

거친 일정을 소화하고 혼자서 음식점에 들러 대식가처럼 식사를 하고난 다음이었다. 영석은 그리움이나 고단함, 평안 속에 파묻혀서 잠을 잤다.

*

똑똑.

하고 문을 두드리는 소리에 어둠 속에서 잠에서 깼다.

영석은 깔끔하게 정리된 모텔방에서 눈을 떴다. 활동비가 떨어져서 호텔이 아닌 곳에서 자는 건 아니었다. 단순히 사람을 만나는 것이 부담스러운 탓이다.

서울 도심지에서 온갖 짓거리를 다 저지르고 다니고 있으니. 바보라고 하더라도 그 흔적들을 다 무시할 수는 없을 테다.

그는 히어로 무비의 주인공이 아니었고, 그가 저지른 사건들은 고스란히 형사 사건의 일종으로 수사 대상이 되리라. 이제사 늦은 감도 있었지만 굳이 자신이 어디로 가는지 드러내놓고 다닐 필요는 없었다. 목격자가 없는 길로 그의 동선이 편향되는 것도 어쩔 수 없다.

영석은 눈을 떠서, 밝아진 아침의 햇살로 드러나는 방의 전경을 슬쩍 바라보았다. 1초 정도, 소리를 듣고 생각한 이후 곧바로 옷가지를 챙겨 입었다. 정비를 마친 뒤 재조립해서 늘어놓았던 총기들을 홀더에 담아 백팩에 챙겼다. 그의 짐은 단출하다.

거처를 옮길 때마다 생필품이나 옷 따위는 계속해서 새로 사고 있었다.

몇 번의 손짓으로 짐을 모두 꾸린 그는 완벽히 외출 준비를 마쳤다. 얼마 지나지 않아 두드리는 소리가 다시 들렸다. 똑똑.

그는 문을 두드리는 자의 신원을 추리하고 짐작했다.

비령 그룹의 일원이 그의 행적을 조사해서 여기까지 왔을 수도 있다. 그룹은 거의 초토화가 되다시피 하기는 했지만, 집요한 의지로 그를 쫓았다면 혹시 모를 일이다.

대개는 조직의 정비를 위해서 머리털이 빠져야 할 상황일텐데, 그와중에 어떤 간부가 직접 진두지휘하며 범인의 종적을 찾았다면 말이다.

그도 아니라면 모텔의 관리인이 어떤 이상이 생겨 방문을 두드렸던가 말이다. 무인으로 운영되는 곳이지만 관리자가 없지는 않으리라. 간밤에 건물에 특이사항이 생겨 아침에 온 관리인이 어느 손님의 방을 두드릴 경우도 있었다.

그러나 딱 타이밍이 좋게 그가 머무르는 시점 아침에 건물에 문제가 생겨 그의 방을 두드릴 확률이 얼마나 될런가.

그가 다양하고 화려한 짓을 서울 도심에서 저지르고 다니고, 사건이 반복되었으니. 그런 사건의 뒤를 쫓을만한 안정적인 인력과 재원이 남아 있는 어떤 조직이 문을 두드리고 있을 확률이 높았다. 한국에서는 길게 생각할 필요 없이 경찰력이 그 정도는 되었다.

미치광이처럼 날뛰고, 또 인간이 아닌듯 행적이 묘연하게 굴었지만 현장에 데이터가 남기는 했으리라. 그가 건물의 지붕 위를 날아다니면서 현장을 벗어났다고 하더라도 수많은 사람들을 상대하면서 그의 지문이나 머리칼, 체조직 따위가 떨어졌다면 혹시 모른다.

물론 차량을 이용하거나 할 때는 반드시 장갑을 사용했고, 신원과 명의를 찾을 수 없도록 불법적인 루트로 구한 것을 타고 다니기는 했지만.

경찰 조직이 본격적인 수사로 그의 인상착의를 알고 행적을 쫓았다면 여기에 다다르는 것도 영 있을 수 없는 일은 아니었다.

영석은 망설임없이, 화장실로 들어갔다. 딱 나가기 좋은 창문이
있던 탓이었다.

싸구려 재질로 만들어진 창문이었고, 모텔의 주인장에게는 미안
하게 되었지만 각도와 그 바깥에 보이는 광경을 보며 동선을 가늠
하던 그는 욕실에 있는 수건 몇 장을 대강 덧대어 올려 놓고는,
바로 깨버렸다. 쨍! 하는 소리와 함께 깔끔하게 창문이 터져나갔다.

3층 정도 높이였고, 부드럽게 몸을 뺀다면 충분히 나갈 수 있는
높이다. 그는 그대로 수건 몇 개를 감싸 창틀까지 깔끔하게 정리를
한 뒤 바깥으로 나선다.

세면대와 변기의 윗부분을 밟으면서 덜그럭 거리는 소리가 났다.

…쿵쿵!

바깥에서 문을 두드리는 소리가 조금 커졌다. 영석은 그 소리를
들으며 그대로 바깥으로 몸을 날렸고, 곧 쿵! 하는 소리와 함께 누
군가가 골목길에 세워둔 트럭의 짐칸에 그대로 떨어지면서 미안하
게도 화물들을 뭉게버렸다.

몸에 별다른 이상이 없음을 확인한 영석은 그대로 골목을 빠져
나갔다.

    *

17. 조직 내 간부 총회

*

"……"

유종진 회장은 심기가 상당히 불편한 표정으로 앉아 있었다.

그를 마주하고 있는 건 비령 IT사의 사장, 이형석이었다.

형석은 그에게 할 말이 없어 마뜩찮은 표정의 유종진을 침묵으로 상대하고 있다. 유종진은 한참이나 지난 뒤에 앙칼진 목소리로 말했다. 중장년 즈음의 배불뚝이 사내의 말이다.

"김도건 회장이 죽었다고."
"…예, 회장님."
"이런 씨팔. 자네는 뭘 했어!"

유종진은 IT사의 회장실에서 자신이 회장인 양 상석에 앉아 명패를 바닥에 집어던진다. 형석은 그에 약간의 모멸감을 느끼면서도 별다른 대꾸를 하지 못했다. 비령 그룹의 상황은 현재 엉망이었다. 각 파벌의 대가리라 할 수 있는 이들이 모조리 죽어버렸으니 말이다.

그 뒷수습과 조직의 정비를 위해서 중간자들이 머리가 빠지도록 뛰어다니고 있는 실정이었다. 내부 항쟁조차 이제 거의 유명무실한 상황이 되어버렸다. 각기 이권과 욕망을 위해서 어금니를 드러내던 작자들이 먼저 죽어버렸다. 다시 그들을 보좌하는 간부진들은 남아 있었으나, 상석을 채우기 위해 각자의 내부 정리가 필요한 실정이 었다.

비령 그룹의 회장직 역시, 갑자기 죽은 김도건의 자리를 메꾸기 위해 일단 IT사의 사장인 김형석이 그 업무를 대리로 보고 있었다. 유종진을 만나고 있는 이유도 그 때문이었다.

유종진은 비령 그룹의 대주주, 라고 할 수 있는 양반이었다. 그가 알게 모르게 도와주고 있는 건이 많았고 각 계열사들이 양지에서 그럴싸한 규모를 형성한 채 일할 수 있도록 도와주는 조력자였다.
실질적인 지분은 회장직에 앉았던 김도건에 비해 한참이나 못미쳤지만, 외부자로서는 가장 막대한 지분을 쥐고 있던 인간이다.

거기에 수치적인 지분의 크기가 아니라 비령 그룹 사업 전체에 미치고 있는 영향력을 생각한다면 김형석의 처세는 그리 무리될 것이 아니었다.
여기에서 간신히 키워놓은 범죄 조직, 비령의 사업 자체가 흔들리면 내부의 불안도는 더 높아질 테니까.

돈만 바라고 있는 양아치 새끼들이 자신의 밥그릇이 흔들린다고 느꼈을 때 어떻게 움직일 지는, 상상하기 싫은 것이었다. 당장 여러 계열사로 쪼개져서 난립하고 비령 그룹이라는 이름 내에서의 항쟁이 아니라 조직 간의 외부 항쟁이 될 수도 있었다.

그들을 상대하는 경찰 조직에서도 가장 상상하기 싫은 경우일 테다. 그들을 한 데로 묶는 테두리가 없어지고 만다면 얼마든지 더 잔인해지고, 큰 사고를 저지를 수 있게 될 테니까.

비령 그룹, IT사의 회장 김도건을 중심으로 중앙 집권과 비슷한 체제가 유지되었으니까 항쟁의 뒷처리도 그늘 내부적으로 할 수 있었던 것이었는데.

어느 빈 폐건물에서 패싸움과 전투가 일어나서 수많은 불량배들의 시체가 늘어져 있고, 그것을 처리하지도 않은 채 방치되는 경우마저 있을 수 있는 것이다.

그대로 각 조직이 몰락하고 전후 처리를 할만한 여력이 없게 된다면 어쩔 수 없는 일이었다.

"……. 부하들 증언에 따르면 유 회장님과 만난 당시, 제인 메리어트 호텔 지하 주차장에서 빠져 나오던 자리에서 그대로 습격을 당했다고…."

"알고 있네. 그래서 뭐, 그 자리에 불러낸 내 실수라는 건가?"

"단지 정황을 말씀드린 겁니다…. 어쨌든 저희 그룹에서도 뒤처리를 위해서 최선을 다하고 있고… 각 간부들을 모아 조만간 조직 내 총회를 열 작정입니다.

비령 그룹의 사후 처리와 차후 방향을 논하기 위해서도 말입니다. 이럴 때일수록 저희가 하나로 모이고 또… 회장님 같은 분께서도 도와주셔야 살지 않겠습니까……."

이형석은 그래도 머리가 돌아가고, 바른 식으로 말을 할 줄 아는 인간이었다. 그의 간곡한 어투에 누그러진 유종진은 "후……."
하고 한숨을 토해내더니 자리에 다시 바로 앉았다. 끼익, 하고 얼
마 전까지 김도건이 앉던 회장실의 집무용 의자가 소리를 내며 부
담스러운 장년인의 무게를 감당했다.

"…후우……."

다시 긴 한숨을 토해내면서 화를 삭히는지, 잠시 생각을 하던
유종진이 다시 이형석을 바라보며 말했다. 그보다는 한참 젊은 연
배의 사장은 그의 앞에 선 채로 말을 듣고 있었다. 깔끔하게 회색
정장을 갖춰 입고 머리를 다듬은 모습이다. 그래도 믿을만한 행색
으로 보였다.
유종진은 자신의 관심사를 조심스럽게 이야기했다.

"……. 이번에도 김영석이라는 놈인가?"
"……조직 내에서 뜬소문처럼 돌고 있는 소문이기는 합니다만.
……. 이번에도 목격자들은 이전에 물산쪽 이사였던 김영석의 인
상착의와 비슷했다고 하고 있기는 합니다."
"…얼마 전에 그… 뭐야. 공업 쪽 최길서 사장도 당했다면서."
"……드릴 말씀이 없습니다. 그렇습니다."
"…자네 잘못은 아니지. 어떤 미친 놈이 그럴 뿐이니. 그런
데…… 그게 정말 맞는가? 비령 제약에서 연구 중이던 신약이 초
반응을 일으켜서 김영석이란 자가 되살아났고, 그가 그룹 간부들을
죽이고 있다는 이야기 말이야."

정확히 그런 소문은 나있지 않았다. 비령 제약 쪽의 인사나, 비
령 물산을 쳤던 당시의 간부들이나, 해당하는 정보들을 모두 모았

던 김도건 회장 등이 해낼 수 있는 추론이기는 하지만 그들이 직접 그런 소문을 퍼뜨릴 리는 없으니까 말이다.

단순히 단편적인 정보를 갖고 있을 뿐인 말단 등 조직원들이 구체적인 소설을 만들어 이야기하진 않으리라.

어디까지나 유종진이 이형석에게 하는 말에 불과했다.

"······."

이형석도 눈알을 데굴 굴리다가 슬쩍 찌푸렸다. 소설 속에 나오는 이야기같은 걸 유종진 회장이 말하고 있는 탓이었다.

오시마 사토루는 김도건에게 이야기했고, 김영석에게 직접 투약을 했던 제약사의 연구원들이 남아있지만 이미 퇴사한 지 오래다. 유세정은 여전히 제약사의 사원이었지만 당시의 일을 제 입으로 말하고 다니지도 않았다.

최기욱, 민형석, 오시마 등이 짐작할 수 있는 일이었고 김도건이 그들에게서 정보를 전해들어 추론할 수 있는 말이었다.

그럼에도 불구하고 그런 소설같은 이야기가 현실감있게 다가오기에는, '초인약'이라는 존재는 너무나도 비현실적인 것이었다.

하필, 그런 기적적인 비현실이 자신들이 운영하고 있는 반 사이비 제약사에서 일어난다는 말인가? 그럴 확률이 얼마나 되겠는가. 일단 기적이라는 점을 차치하고 보더라도, 그 기적이 하필 거기에 일어날 확률 말이다.

이형석은 최소한의 현실감이 있는 사내였고, 김영석을 사칭하고 있는 어떤 킬러의 소행이라고 생각하고 있었다. 비령 그룹 내부의 어떤 속 검은 놈이 거액의 돈을 지불하고 일류 킬러 집단을 고용했다거나, 혹은 비령 그룹을 무너뜨리려는 외부 집단의 행태라고 보는 것이 차라리 맞았다.

한국에 그럴만한 놈들이 얼마나 있는 지는 알 수 없지만. 비령 그룹을 제외하고 그 아래에 있는 범죄조직 여럿이 전부 연합을 해서 작당을 하고 있다면 혹시 모르기는 한다.

그들이 비령 그룹을 무너뜨린 뒤 자신들처럼 거대한 그룹을 유지할 수 있을 지는 모를 일이지만 말이다.

아예 아시아에 거점을 두고 싶어하는 해외파 조직의 음모일 수도 있었고, 혹은 말도 안되지만 경찰 조직과 연이 있는 이야기일 수도 있었다.

여러가지 가능성들을 생각하면서 이형석은 머리가 복잡하다. 그는 유종진의 눈빛을 살폈다. 뱀같이 눈을 뜨는 인간이었다. 생각보다, 하고 있는 이야기가 진지해보인다. 이 노회한 장년의 회장은 진심으로 말하고 있는 듯하다.

이형석은 그가 알고 있는 다른 정보가 있는가, 생각했다.

비령 제약과 연을 맺고 있는 외부의 대기업은 Zaice사였다. 해외 계열의 제약사였고 수준 높은 설비와 재원들을 보유한 미국의 중견 기업이다. 그 회사의 사상이나 내부 과학자들의 윤리 의식이 어떨 지는 모르겠지만, 나름대로 이름있는 곳이었다.

비령 그룹의 도움을 받아 불법적으로 인체 실험을 계속 해오던 그 회사에서 정말로 초인약이라 불리는 과학적 발명과 발견을 이룩해냈다는 말인가?

만일 그렇다면 그 약을 자신들의 통제 하에 두지, 왜 하필 김영석이라는 당시 시체에 가깝던 자에게 투여해서 그런 비현실적인 일이 만들어지게 둔단 말인가.

이형석은 고뇌하면서 머리를 슬쩍 가로저었다. 그 기색에 유종진이 안색을 굳힌다. 이형석이 말했다.

"…회장님께서 어떤 말씀을 하시는지 잘 모르겠습니다. 김영석은 그 시점에서 죽은 게 분명합니다. 아마 제약사 쪽에서 어떤 착오가 있었던 것이겠지…. 제가 알기로 최기욱 사장과 민형석 사장을 통해서 극독물을 투입 당하고 끌려간 것으로 아는데 거기서 어떻게 살아날 수가 있겠……."
"그러니까 자네는 안되는 걸세."
"……."

형석은 뜬금없이 말을 잘라먹는 종진을 보았다. 늙은이의 눈에 기이한 열망이 있었다.

"세상을 조금 더 열린 시야로 보시게나. 언제나 같은 일만 반복되어 왔다고, 내일도 그럴 거라 생각하나? 자고로 사업가라면 내일 어떤 일이 벌어져도 당황하지 않을 심력이 있어야 하는 거야. 이 일도 그렇네."
"…큼."

대뜸 늙은 사업가에게 마음가짐에 대한 책망을 듣자 형석은 답할 말이 마땅찮아 헛기침을 했다.

"아무래도 좋네. 자네가 나에게 무언가를 숨기는 것이든, 정말 모르는 일이든. 어쨌건… 도와주지. 대신."

한 번 말을 끊고 종진은 힘주어 뱉는다.

"그 '김영석'이라는 새끼를 잡아오게. 그리고 제약사에 다시 집어 쳐넣어. 그 놈이 시체 지경에서 다시 살아난 놈이든, 혹은 거짓말을 하는 사칭범이든 상관 없어. 초월적인 효력을 발휘하는 약에 대한 단서가 있다면, 반드시 생포를 해서 검증을 마치고 그 결과를 내 눈 앞에 가져오게. 그게 조건이야.

그것만 약속해 준다면… 본 사에서는 여전히 앞으로도 비령 그룹에 대한 지지와 투자, 지원을 아끼지 않을 것을 약속해 주겠네."

"……예 알겠습니다."

유종진의 말에 이형석은 고개를 끄덕거릴 수 밖에 없었다. 늙은이가 어떤 생각을 갖고 있던, 그의 비위를 조금 맞춰주고 그룹을 유지할 수 있다면 백 배 천 배 그 이상은 마땅히 남는 장사였다.

어찌 되었건 계속해서 비령 그룹을 초토화시키고 있는 미친 히트맨 새끼는 그로서도 잡아야만 했다.

정말로 목격자들, 증인들이 이야기하는 것처럼 초인적인 전투 실력을 가진 인간인지, 집단인지, 혹은 속임수를 쓰는 건지는 알 수 없었지만. 당장 비령 그룹에 아직도 존재하는 수천 여 명의 조직원들이 가세한다면 사람 하나 잡지 못할 것이 없었다.

이형석은 비령과 연이 닿아 있는 사설 청부 업체나, 용역, 사람 찾는 일을 하는 반 범죄자 반 탐정 같은 놈들을 전부 동원해서라도 계속해서 일을 벌이고 있는 한 사내를 잡기로 했다.

'김영석'이라는 이름을 대고 그와 비슷한 행색으로 다니고 있다는 것이 유일한 단서였다. 서울 시내나, 한국 전체로 따지더라도 그렇게 넓지 않을 것이다.

결국 국토가 있다지만 사람이 안정적으로 생활을 할 수 있는 생활 범위는 한정되어 있었으니까 말이다. 도시를 위주로 뒤지고, 또 시내에서 특이한 행색이나 특징들을 보이는 인간을 찾아 헤매다 보면 언젠가는 꼬리가 밟힐 것이다.

이 국내에서 비령 그룹을 적대시하고 살아남는 일이 없도록, 이형석은 최선을 다할 테였다.

*

쿵, 쿵!

하고 문을 두드렸던 김경묵 경위는 혀를 찼다.

쯧.

하고 소리를 내며 고개를 돌리는 그의 곁에 한 명의 사내가 더 있었다. 박우신 경사, 라는 이름의 형사였다. 두 사내는 최근 있었던 일련의 조직 폭력배 암살 기습 사건의 용의자를 쫓고 있었다.

범인은 초인적인 완력과 운동 신경으로 늘 현장을 초토화하고 다녔기에, 별다른 증거는 남아 있지 않았지만 목격자들의 증언과 각 지역의 CCTV영상 탐색 따위를 통해서 용의선상에 오른 어느 사내의 동선을 추적할 수 있었다.

범인은 제법 용의주도했는지 그 행적이 묘연하고, 또 상식적으로 추리하기 힘든 면이 있었으나 간신히 잡아낸 단서로 찾아온 곳이 서울 어느 곳의 무인 모텔이었다. 인적 드문 골목에 위치한 모텔에서 관리자를 호출해 최근 체크인한 방을 쭈욱 나열하며 차례대로 두드리고 있던 차였는데, 의심 가는 방 한 구석에서는 아무런 대답이 없었다.

쿵!

하고 건물 바깥, 골목 어귀에서 소리가 났지만 모텔 안쪽에 있는 그들에게까지 소리가 닿지는 않았다. 의외로 방음이 꽤 잘 되어 있는 신식 건물이었고, 문에 귀를 대고 있던 그는 안쪽에서 누군가 있다는 생각은 했지만 대놓고 그들을 무시하자 당장의 방법이 적었다.

확실치 않은 상황에서 함부로 문을 열고 들어가기도 어려운 실정이었고. 모텔을 관리하는 주인은 그들이 불러 근처에 와있는 실정이었지만 애초에 희박한 근거와 단서를 쫓아온 터라 과감하게 굴기가 부담스럽다.

짧은 머리가 솟구친 헤어 스타일을 하고 있는 김경묵이었다. 30살 초중반 즈음 되어 보이는 인상이니, 동안이라고 할 수 있을 것이다. 실제 나이는 37이었다. 나름대로 능력 있는 형사로 인정받는 그이지만 경찰 조직 내부를 떠들썩하게 만들었던 사건의 주인공을 찾는 일은 영 쉽지가 않았다.

만난다고 하더라도, 추리 속의 상상 중 일부처럼 상대가 말도 안되는 능력을 보유한 킬러라고 한다면 대응할 방법도 마땅찮다.

일단 차근차근 탐색을 하면서 상대의 정확한 위치를 찾고, 가급적 그들이 포획 가능한 방향으로 몰아 경찰 조직의 인력을 대거 동원해서 잡는 수 뿐이리라.

단지 목격담이나 증언에 따른 초인적인 킬러가 망상 속 존재에 불과하며 일반적인 범죄자일 경우에는 만나는 즉시가 그를 체포하는 순간이 되긴 하겠다만.

경위는 옆에 선, 자신보다 조금 키가 작고 어린 경사에게 이야기를 했다.

"쯧. 다른 데로 가보지."
"예, 알겠습니다."

경위는 일단 별다른 소득 없이, 무인 모텔을 벗어났다.

*

범죄 조직. 비령 그룹의 간부 총회가 열린다는 소식이 조직 내에 돌았다.

조직 내의 일정을 외부 인사에게 흘릴 사람은 없었지만, 비령 물산의 간부이기도 했던 영석에게는 그래도 소식을 알만한 수단들이 있었다.

이전 자신의 부하들 중 그래도 쓸만한 놈들에게 직접 연락을 하는 것이다.

이전처럼, 비령 IT 등 서울 도심 지역에 빌딩을 본사로 갖고 있는 계열사들 인근을 돌면서 조직의 움직임을 주시했다.
자신이 저지른 짓거리가 반향을 일으킬 수 밖에 없다는 확신을 갖고 있었고, 결국 그룹의 수뇌부들이 움직이기 시작했다. 이미 김영석이 상당수 죽여 놓은 터라 그 수뇌부도 대개는 멤버 구성이 바뀐 상태이기는 했지만.

아무튼 내부적인 조율과 협상안을 위한 조직 총회가 잡힌다는 것을 파악한 그다.

IT사의 회장 집무실에 설치해두었던 도청기는 기계 수명이 있는 것이었고, 짧은 사용 기한 후에 영 좋지 못한 음질로 정보를 조달했지만 그와중에 총회에 대한 정보를 들은 것이다.

자세한 일정 상세를 알기 위해 비령 물산의 조직원들에게 연락을 했다. 김영석이 살아있다는 사실조차 확신하지 못하는 부하들이었고, 그의 이름이 거론된다면 어떤 식으로든 동요가 일어날 수 밖에 없었지만.

단 한 번에 한해서, 써먹을 수 있는 방법이라고 생각하고 사용한 셈이다.

비령 물산의 머저리같은 부하들은 대단한 비밀을 넉살 좋게 숨

길만한 놈들이 못되었고, 어떤 식으로든 김영석과 접촉했을 때 티가 나겠지만. 그래도 개중에서 가장 입이 무거운 놈을 골라 말을 한 것이다.

한 번은 가능하겠지만 두 번은 하기 어려운 짓이었다. 그는 이미 심정적으로도, 자신을 죽은 인간이라고 생각하고 있었다.

어지간하면, 총회 당일날 행사가 열리는 본사 근처로는 오지 말라는 이야기를 굉장히 에둘러 표현한 영석은 옛 부하와의 전화 통화를 통해서 자세한 일정을 알 수 있었다. 9월 23일. 토요일 점심 무렵에 그룹의 본부라 할 수 있는 비령 IT 본사 회의실에서 진행된다고 한다.

며칠 남지 않은 시점이었고, 영석은 슬슬 일의 마지막을 직감하며 준비하기 시작했다.

*

18. 지지支持

화창한 낮이다.

어느 회사원은 도심 지역을 걷고 있었다.

가정사로 오전 반차를 낸 그는 느즈막히 걷는 출근길을 가는 중이다. 서울 시내. 갖가지 산업의 중심지라고 할 수 있는 곳이었다.

근처로는 증권가도 있고, 조금만 떨어지면 여러 대기업들의 본사가 모여 있는 도로다.

집으로부터는 약 사십 여 분 정도 떨어진 위치였다. 사내는 어느 증권사에서 일을 하고 있는 금융계의 사원이었고, 아직은 그리 대단찮은 실적과 커리어, 직책을 갖고 있는 입장이었다.

하루를 즐겁게 시작하는 건 늘 그의 힘이었다. 똑같이 걸어가는 지루한 출근길이더라도, 무언가 이루어낸다는 마음으로 기왕 밝게 걸어가 하루를 마치고 돌아오는 게 그의 낙이다.

돈을 버는 것도 나름대로 쏠쏠한 일이었고, 그 돈으로 안정적인 가정을 이룰 수 있다는 건 분명 행복이었다.

그는 안전하고 안락한 나라에 태어나 살아감에 감사한다.

민영수는 그런 생각을 하면서, 늘 회사에 가기 전 들르곤 하는 인근 도로의 커피샵에서 아메리카노 한 잔을 테이크아웃 해서 걸었다.

차가운 아메리카노로 목마름을 달래면서 하루를 시작한다. 오늘은 일과가 좀 늦은 편이었다. 늦게 가더라도 어차피 그의 일은 그가 다 마쳐야 하기에 더 나은 날인 건 아니었지만. 아무튼 때로는 이렇게 여유롭게 출근을 하는 것도 나쁘지는 않으리라.

갑작스럽게 아내가 출근한 이후 아이가 고열을 일으켜서, 보모의 연락을 받고 그가 병원을 들러야만 했다. 아내 역시 일을 하는 맞벌이였는데, 오늘 그녀가 외근으로 외부 인사를 만나고 회의를 하는 등 주요한 일정이 있어서 마냥 펑크내기가 쉬운 입장이 아니었다.

그나마 둘 중 별다른 일이 없었던 영수가 출근길 와중에 사정을 말하고 반차를 써서 병원을 들렀다가, 아이가 진정되는 걸 보고 나서 다시 출근을 하고 있는 중이었다.

지하철에서 내려 익숙한 도로를 걷는다. 한 손에는 서류 가방이었고, 다른 손에는 아메리카노다. 회사까지 몇 블럭 남지도 않았다. 오후의 반가운 햇살이 그를 맞이했다. 그는 이런 평안함이 가급적 평생토록 지속되었으면 하고 바란다.

*

민영수가 거리를 걷던 그 대형 빌딩들 사이의 도심지에서, 증권사 쪽이 아닌 다양한 대기업의 본사가 있는 블록으로 자리를 옮기면 눈에 띄는 장면이 있다.

온통 시커먼 양복을 차려입은 사내들이 우루루, 한 건물의 1층 홀로 들어가는 모습이었다.

단체로 무슨 일이라도 난 건지 여러 명이 움직이고 있었고, 그자못 엄숙한 무게감에 지나가는 사람들은 힐끔거리면서 쳐다보게끔 되었다.

평범한 회사원들이라고 하기에는 다들 기세가 만만찮았고, 분위기가 이상했다.

몇 대의 검은색 세단이 빌딩 앞에 서서 다시 여러 명의 사내들이 내렸고, 각 인간마다 직급에는 대단한 차이가 있는 듯 여러 명이 보좌처럼 한 명을 모시며 들어가기 일쑤였다.

높은 빌딩의 정문을 지키고 있는 가드들은 힘주어 선 채 들어오는 이들의 면면을 살피며, 하나하나 통과시킨다.

비령 IT사의 본사 건물이었다.

오늘은 조직의 총회가 있는 날이었다. 대개는 서울 지역에 집중되어 있기는 했다만, 간혹 지부처럼 지방에 있는 계열사에서 근무하던 이들도 일정 서열 이상이라면 모두 한 데 모여 조직에 대한 논의를 진행한다.

근 1, 2개월 간 지독한 일이 비령 그룹 내부적으로 있었고, 내부 항쟁이 격화되기도 전에 정체불명의 괴인이 간부들을 습격하는 일이 벌어졌다. 낮이던, 밤이던. 본사 건물이건, 자택이건. 위치와 시간을 가리지 않고 벌어진 암살은 모조리 성공했고, 비령 그룹은 비상에 처한다.

심지어 김도건 회장까지 목숨을 잃었으니 조직의 체제 자체가 흔들릴 위기였고, 자기들간의 밥그릇 싸움으로 마무리되었어야 했던 일이 조직의 존립이 흔들리는 일로까지 번졌다.

중간 간부들은 다시금 비령 그룹의 기틀을 제대로 잡고 향후에 관한 논의를 하기 위해서, 라는 의제에 공감했고 각자 비령 그룹의 본부랄 수 있는 IT계열사 본사에 모이기에 다다른다.

암살자는 집요하고 또 지독한 인간이었고, 기어코 몇 손가락 안에 든다고 할 수 있을 조직의 간부들을 모조리 척살했다. 2인자, 3인자 즈음으로 표현될만한 자들이 각 계파를 대표하면서 본사 건물로 왔다.

간부들간에는 익숙한 모습이었지만, 말단 중에는 그들의 인상착의를 다 파악하지 못한 자들도 있었다.

각 간부들은 자기들의 계파원들을 데리고 왔다. 호위를 위해서였다. 최근에 빈번하게 암살이 일어나면서 조직 간부의 목숨이 무슨 똥파리의 그것마냥 쉽게 죽어 사라졌으니 어쩔 수 없는 일이었다.

IT본사, 비령 그룹의 회장직을 대리하고 있는 IT계열사장 이형석의 지휘 아래 그 인원은 한정되었으나 모이고 나면 역시 숫자가 만만치 않았다.

각 계파 간의 괜한 눈치 싸움과 힘겨루기의 분위기도 본사 건물, 로비 즈음에서부터 시작되었다.

섣불리 문제를 일으키리라 생각되지는 않지만 또 만약의 경우라는 것이 있어 IT사 쪽에서 마련한 전투조들도 경계심을 늦추지 않고 사람들의 기색을 살피고 있었고 말이다.

"반갑네."
"어, 김이사."
"오랜만이구만."
"오랜만은 무슨."

각 계파를 대표하는 조직 간부들의 연령대는 그리 높지 않았다. 50대가 되면 가장 높은 편이었고, 보통 30대 후반에서 40대 정도.

번듯이 사업을 키워내어 사장이나 회장직에 앉을 만한 자들은 아니었다. 젊은 날부터 혈기를 다스리지 않고 타인을 해하면서 사업을 키워나간, 비령 조직의 전투조들 중에서 살아남은 자들이다.

조직에서의 삶은 구렁텅이같은 것이다. 그 속에서 살아남았다는 것만이 그들의 훈장이었고, 기어코 그 질긴 목숨을 연명해서 번듯한 자리들을 받기에 이르렀다.

하나같이 지저분한 사내들은 능구렁이같은 얼굴로 로비 근처에서 인사를 나누면서, 우연히 같이 도착한 자들의 경우에는 사이 좋은 마냥 같이 들어가기도 했다.

총회가 열리는 회의실은 본사 건물의 19층이었다. 대형 빌딩의 정문까지는 계단이 있었고, 현관을 들어서면 넓은 로비가 보인다. 로비의 정면에는 안내 데스크, 그 양 옆으로 길이 나 있다. 한 쪽은 계단이었고 한 쪽은 엘리베이터가 모여 있는 곳이다. 엘리베이터가 있는 쪽은 출입증이 있어야 들어갈 수 있다.

몇 명의 가드들이 그 근처에 서 있었고, 출입증을 보여주면 비켜주는 식이다. IT사였기에 일반 사원들도 있지만, 오늘은 특별한 날로 일반 직원들에게는 휴무일이었다.

비령 그룹과 연관된 자들만이 오늘 본사에 남는다. 안내 데스크에는 회사 내부 일정을 알려주고 또 상부와 조율하는 접객원들이 있었고, 그들도 회의가 시작되면 전부 퇴근할 예정이었다.

데스크에 선 여성들은 비령 그룹이 원래 수상쩍은 회사인 것은 알았지만, 이처럼 대놓고 조직원들로 보이는 이들이 줄줄이 들어오자 긴장된 표정과 기색을 감추지 못하며 애써, 억지로 웃어야만 했다.

1층의 로비는 층고가 아주 높다. 건물은 홀과 상층부로 쌓아 올려진 구조가 분리되어 있어서, 1층에서 3, 4층의 높이까지 그대로 천장으로 사용하고 있었다. 천장 인근에는 각 2, 3, 4층의 복도에서 로비를 바라다 볼 수 있는 난간이 있고, 3, 4층의 복도에서는 그대로 옆으로 쭉 뻗어가 로비에서 바라볼 때 천장 부근까지 걸을 수 있는 길이 있었다.

로비의 천장 한쪽에는 커다란 통창으로 벽면이 장식되어 있어서, 햇빛 가리개를 개방해두면 건물 내부로 햇볕에 쏟아지게끔 되어 있다. 오후의 햇살이 인조등 외에도 건물 내부를 밝게 비추었다. 홀 내부로 걸어 들어가는 검은 양복쟁이들은 그 햇살을 지나치며 간다.

제각기 인상이 험상궂은 아저씨들이었고, 긴 시간동안 계속해서 건물에 새로운 방문객이 찾아왔다. 회의의 시작 시간인 1시 30분까지 모든 중요 인물들이 참석했을 즈음, 가드들은 새로운 방문객이 없다는 걸 알고 정문의 유리문 현관을 닫는다.

잠궈두지는 않았지만 일단 닫힌 유리문이었고, 회의가 시작되면 특별한 사유가 없는 인물은 더 이상 건물 내부로 들어올 수 없을 것이다.
회의가 모두 끝나고 내부의 중요 인물들이 빠져나갈 때까지 IT사 본사 건물은 오롯이 비령 그룹의 간부 회의만을 위해서만 쓰이리라.

아름다운 빌딩의 전경, 투명하게 만들어진 거대한 현관을 정장을 입은 거한들이 여럿 도열해서 지키고 있었다. 혹여나 있을 만일의

사태를 대비해, 개들 중 몇 명은 실탄을 넣은 권총을 들고 있기도
했다.

1시 반이 되었고, 이윽고 빌딩 내부의 회의실에서 총회가 시작
되었다.

*

"크흠."

김영석은 작게 헛기침을 했다.

그는 검은 정장을 입고, 평범하게 생긴 인상 그대로 움직였다.
별달리 큰 분장을 할 필요도 없었다. 그저 다른 이들의 옆에 섞여
서 발자국을 맞춰 올라가면 될 뿐이었다. 그로서도 이렇게 쉽게 일
이 풀릴 줄은 몰랐지만.

생각보다 비령 물산에서 그를 따랐던 수하들은 충성심이 괜찮은
놈들이었다.

툭, 하고 그의 옆구리를 찌르는 손이 있었다. 그들은 18층 로비
에 서서 빌딩 외부의 전경을 바라보고 있는 중이었다. 그러니까,
김영석과 그의 곁에 선 오민석이라는 청년은 말이다.
그들 외에도 다른 여러 계열사에서 온 조직원들의 말단이 빌딩
건물 이곳저곳을 채우고 있었다. 대개는 19층의 주위에 서 있다.
회의실 내부로는 호위조들이 참여하지 못하게 되어 있었고, IT본사
계열의 호위조들이 가장 수가 많고 빌딩 전체적으로 포진해서 경
계를 서고 있다.

18층과 19층의 로비는 계파의 간부들을 따라온 호위조 인원들이 가득했는데, 개중 비령 물산의 몇 안 남은 간부를 따라온 호위조 중 둘이, 김영석과 오민석이었다.

영석은 비령 그룹의 조직 내 총회에 대한 정보를 얻기 위해서 비령 물산 쪽 수하에게 연락을 취했다. 그가 이사로 일하며 물산 쪽 간부로 있을 때, 그러니까 얼마 되지도 않은 시점이었지만 그때 잘 따랐던 부하 중 한 명에게 건 전화였다.

영석이 갖고 다니는 휴대폰의 번호는 비상용으로, 혹여나 도피할 일이 있을까 해서 만들어둔 것으로 알고 있는 이가 달리 없었다. 다행히 번호를 받았고, 영석의 목소리를 기억하며 또 그의 이야기를 들은 부하는 생각보다 흔쾌히 내부 정보를 그에게 알려주었다.

비령 그룹에 대한 충성도보다는, 김영석이나 목진형에 대한 충성도가 더 높았던 부하들이다. 그건 그들이 사라진 이후에는 별 수 없이 조직에 대한 충성으로 바뀌었지만, 김영석이 살아 있다는 걸 안다면 이야기는 달라진다.

영석이 넌지시 비령 그룹 총회에 참여해서, 간부진들을 처리할 것을 이야기하자 멍청이같은 부하 놈은, 그게 어떻게 가능한 일인 줄도 모르고 그의 계획에 찬동했다.
그리고 심지어 그를 돕겠다는 말까지도 한다.

김영석은 진지하게 부하가 진심으로 하는 말인지 고민했지만, 그간 함께 지냈던 그의 성정을 아는 그로서는 그게 사실이라고 판단했다.

김영석의 부하였던 비령 물산의 호위조 1조장 김태평은 그를 은밀하게 비령 물산 쪽으로 불러들였다.

매일같이 보고 지내던 간부였지만 그가 일부러 드러내지 않고 조용히 다니면 말단들은 그를 알아보지 못한 때가 아주 많았다.

다른 이에게 알리지 않고 그와 접촉한 김태평은 비령 그룹의 조직 총회 날짜와 장소를 알려주는 것을 넘어서, 그들이 총회에 참석하는 날 말단 호위조의 역할로 함께 빌딩에 들어가지 않겠느냐며 이야기를 건넸다.

영석의 목적이 일단 비령 IT의 본사에 총회 날 들어가는 것임을 알고난 뒤의 제안이었다. 영석으로서는 거절할 이유가 없었다. 오랜 부하가 갑자기 눈이 돌아서 영석을 함정에 빠뜨리려는 것이 아니라면 말이다.

그리고, 지금의 상황이라면 이전 최기욱과 민형석에게 당했던 것과 같은 함정이 다시 찾아온다고 하더라도 두 눈을 부릅 뜨고 멀쩡히 살아 돌아올 자신이 있기도 했다.

실제로 최길서의 사무실에서 그렇게 하기도 했고.

부하들은 영석이 달라진 것을 알지는 못했다. 그러나 그럼에도, 그가 김영석이라는 이유 하나만으로 그의 계획을 지지했다. 바보같고 멍청한 짓거리였지만, 영석은 그런 물산 쪽 부하들의 선택이 그들의 목숨을 살렸음을 알고 있다.

김영석은 비령 물산 쪽의 대표로 참여하는 이사 박철우의 호위조로, 오민석과 함께 참여했다. 그 외에도 같이 들어왔던 이들이

다섯 명 더 있었다. 그들은 19층, 집무실 근처에서 대기하고 있을 테다.

김영석에 대해서는 자세한 설명을 하진 않았지만, 같이 온 놈들은 모르기가 어려웠다. 보스가 어떻게 죽음에서 살아 돌아와서 자신들의 곁에 있는 지는 이해할 수 없지만 말이다.

"…그, 언제 쯤이면 됩니까?"

오민석이 물었다. 조용한 이야기였다. 18층의 복도는 군데군데 사람들이 서 있었고, 나름대로 자유로운 분위기였다. 적당한 방을 대기실 삼아 들어가 쉬는 놈들도 있었고. 그들처럼 창가를 바라보면서 담소를 나누거나 하는 자들도 있다. 적당히 쉴 곳을 찾아 담배를 태우는 자들마저 있다.
아마 한 번 회의가 시작하면 꽤 길 것이었고, 그 중간에 특별한 일이 생기기 전에는 그들이 불릴 일이 없으니까 말이다.

주인이 어떤 일에 집중하기 시작하면 개는 편한 법이었다. 그들이 개들은 아니었지만, 부하들의 삶이라는 건 그것과 비슷했다.

"…글쎄. 아직은 조금 더."

영석은 창가 근처에서 몸을 앞으로 기울여 바깥으로 기대며 말했다. 빌딩 복도. 비상구 계단 근처에 그들이 있었다. 창문은 바깥으로 살짝 열린다. 사람이 떨어지지 않도록 얼마 이상은 열리지 않게끔 고정되어 있으나 비스듬히 열린 그 틈에 몸을 기댈 수는 있었다.

큰 유리창 앞에서 그는 그러고 있고, 오민석이 옆에 실내 쪽을 바라보며 등을 기대어 있다. 오민석과 또 그 외 비령 물산쪽 인원들에게는 미리 언질을 해둔 터였다.

적당한 시간이 날 것이다.

회의가 시작되고 나서 아직 얼마 지나지 않았다. 적절한 때를 그는 기다리고 있었다. 위쪽 회의실을 전부다 쓸어버린다고 쳐도, 일을 도와준 비령 물산 쪽 간부를 죽일 수는 없었으니 말이다.

그가 적당한 핑계를 대고 회의실에서 빠져 나와 화장실이든 어디든 자리를 옮기면, 그가 연락을 받고 올라간다. 같은 시간에 물산에서 온 다른 호위조는 층을 옮겨 적당한 방에 들어가서 있을 테였고.

그가 움직이기 시작하면 바깥으로 나오지 말 것, 이 영석이 그들에게 한 당부였다.

그는 손속에 사정을 둘 생각을 하지 않고 있었다.

기본적으로 지금 이 회의장에서 항쟁은 금지되어 있었다. 피차 조직 폭력배 나부랭이인 와중에, 공권력이나 치안력에 기댈 수는 없었고. IT사 쪽 인물들이 다른 계파원들의 수를 훨씬 압도하고 있었기에 가능한 평화 상태였다.
섣불리 움직인다면 다른 모든 계파와 본사라 할 수 있는 IT쪽 인원들의 집중 공격을 당하리라.

영석은 긴 조직 생활 중에도 담배를 배우지는 않았다. 그는 창가에 기대어 먼 하늘을 쳐다보았다. 하늘이 참 밝다.

이런 날은 집에서 뒹굴거리면서, 좋아하는 책이라도 하나 붙잡고 읽거나 음악을 듣고. 적당히 방바닥을 몸으로 닦아 대다가 라면이나 끓여 먹으면 그것이 좋은 삶이었다.

그렇지 못한 삶을 너무 오래도록 살아왔다. 끌려오듯 산 면도 있었고. 자신의 삶임에도 뚜렷이 결정하지 않은 때조차 있었다.
마지막 순간에 망설이다가 형을 먼저 떠나보낸 기억은 아직도 지울 수 없는 멍에처럼 머릿속 한 켠에 남아 있다.

이제는 무엇을 위해 살아야 하나. 빈 마음을 털어내듯이 아아, 입을 벌려 작게 숨을 토해낸다. 그는 민석과 함께 창가에 기대어 시간을 보냈다.
시간이 올 때까지 말이다.

*

"……어쨌건, 이번 사건으로 인해 비령 그룹의 수뇌부 중 상당수가 물갈이 된 건 사실입니다."

이형석이 말하고 있었다. 그는 현재 총회를 주관하고 있는 사회자이기도 했고, 무주공산처럼 되어버린 비령 그룹의 수뇌부를 지도하고 있는 총괄인의 임무를 맡고 있기도 했다.
당장 사람이 필요했기에, 그가 그 역할을 하는 데 반대하며 나서는 인간은 다행히 없었다.
어쨌건 조직을 돌리기 위해 임시로라도 사람이 필요하다는 것정도는 모두가 공감하는 부분이었으니 말이다.

"……"

이형석의 말에 크게 대꾸를 하는 자는 없었다. 아직까지는 회의의 초반이었고. 현황을 설명하는 선에서 그의 이야기가 그치고 있었기 때문이다. 특별히 대단히 언짢은 내용을 개진한다거나 하면 들고 일어설 양반들이 많기는 했다.

"당장은 내부적으로 언짢은 상황이 있더라도 대립한다거나 하는 건 자중해주시기 바라는 바입니다.

…비령 그룹은 현재 이전과는 다른 상황에 놓여 있고… 각 계열사들도 수뇌부의 구조조정에 힘써야 하는 것으로 알고 있습니다.

당장 저희 IT사만 하더라도 김도건 회장님께서 돌아가신 이후로 후계자를 정해야 하는 상황이고요.

물론 그룹 전체의 방향을 결정하는 회장직을 저희 본 사의 의견만으로 정할 수 없다는 건 압니다만. 적어도 임시의 자리는 필요하다는 데 동의하지 않으실 분들은 없겠지요.

……오늘은 각 계열사 간의 필요에 대해서 나누고, 부족한 부분이 있다면 다른 이들이 도와주는 방향으로 이야기를 해보겠습니다.

어쨌건 비령 그룹의 가장 큰 투자자 중 한 분인 양화 그룹의 유종진 회장님께서도 계속해서 비령을 지지할 것을 약속하셨고… 지금 저희가 그룹을 제대로 다루지 못한다면 결국 아무도 얻을 게 없는 판국이 될 겁니다.

선대, 또 초대 회장님께서 만들어두신 탑을 저희가 다 무너뜨릴 수는 없으니… 많은 분들의 협조가 필요한 시점입니다."

이형석은 달변가처럼 말을 잘하는 편이었다. 조직폭력배들 사이에서 굴러먹은 인간답지 않을 정도로 말이다. 원래 조직에는 엘리트가 필요하다는 이유로, 김도건이 스카웃을 한 인재이기는 했다. 일반적인 기업에 갔더라도 제 역할 정도는 잘 해냈을 작자였다.

그러나 그런 그에게도 비령 그룹의 총수라는 자리는 부담스러웠다. 어쨌거나 지금 말로써 풀 수 있는 이 자리에서, 다른 간부들과의 화합을 이끌어내고 협조를 만들어서 계약을 해내야만 그에게도 살 길이 있었다.

절대로 남의 말은 듣지 않을 듯한 인간들이었고, 지금 하나같이 다 날이 곤두선 상태일 테다. 누구라도 자신의 목숨이 언제 날아갈지 모른다고 하면 비슷한 반응일 것이기는 하다.

그러나 돈 앞에 늘 굴복하고 마는 인간들인지라, 결국 그룹의 사활이니 하는 말을 거들먹거리면서 그들의 밥그릇에 대한 이야기를 하면 협조를 할 수 밖에 없을 것이다.

이형석은 그렇게 생각했고, 그 생각이 마땅히 맞았는지 자리에 모인 간부진들은 크게 자존심을 부리지 않고 협조와 협약에 대한 이야기를 나누고 있었다.

한창 여러가지 세부 의제와 안건들이 지나가고, 몇 개 계열사의 요구가 다른 자들에 의해서 통과되었을 무렵이었다.

시간으로 따지자면 오후 3시 10분 경. 회의가 시작된 지 두 시간이 조금 안되는 때였다. 원래 그리 길게 사람들을 잡아둘 생각은 없었지만 이형석으로서는 간절함이 있었다. 잘 모이지 않고, 불신으로 똘똘뭉친 위험한 야수같은 새끼들을 이렇게 한 군데 둔 채로 본격적인 이야기를 많이 진행해둬야 앞 날이 편할 것이라는 계산 때문이었다.

회의가 길어지고 있었고, 그 와중에 한 명이 잠시 화장실을 다녀오겠다며 손을 들고 이야기하고 자리에서 사라졌다. 비령 물산 쪽에서 대표로 온 박철우였다.

비령 물산은 갑자기 급반전된 그룹 내 상황으로 인해 운이 좋았던 편에 속했다. 본디 가장 견제가 되었던 콤비인 목진형과 김영석을 필두로 물산 쪽 간부들이 싹 물갈이가 되었었는데, 그건 외력에 의한 것이 아닌 내부 항쟁 중에 일어난 일이었으니 말이다.

이제 비령 물산을 본격적으로 금융이나 제약사 등이 갈라 먹기를 하려고 들 때 즈음, 어딘가에서 나타났는지 모를 히트맨이 조직의 임원진들을 골라 죽이고 다니기 시작하면서 그 논의가 사라지고 말았다.
비령 물산은 자연스럽게 그들만의 파벌로 남게 되었고, 그 덕분에 박철우 역시 자리와 명예를 유지할 수 있던 셈이다.

그의 퇴장은 그리 시선을 끌지 않았다. 이형석도 대수롭지 않게 생각했고.

자연스럽게 큰 회의실, 또 바깥으로의 채광이 좋은 대형 창들이 늘어서 있는 룸에서 천천히 걸어 나오는 그다. 길다란 탁자는 수십여 명 이상이 능히 앉아서 대화를 나눌 수 있도록, 토의장처럼 꾸며진 곳이었다.
각 사장실의 집무용 의자처럼 편한 것을 가져다 두었고, 어디서 돈이 그렇게 많이 났는지는 모르지만 고급 목재로 만들어진 2열의

133

긴 테이블이었다.

가운데 가장 상석과 그 옆에 화이트 보드 따위가 있었고, 바닥
은 푸른 색의 카펫으로 깔려 있었다. 전체적인 방의 톤은 아이보리
나 목재의 갈색풍이 섞여 있는 따뜻한 색감이었다. 바닥에 있는 푸
른 카펫 역시 채도가 진하고 그리 밝지 않았으며, 초록색에 가까운
것이었다.

철우는 긴 테이블을 옆으로 지나 문을 지키고 선 가드의 곁으로
갔다. 회의실 내부에는 개인 호위를 데리올 수 없있다. 예외적으로
총회를 주관하는 IT 계열사 쪽의 가드 두 명이 내부에서 양쪽 문
을 열고 닫는다. 바깥에도 아마 비슷하게들 서 있을 테였다.

젊고 또 날카로운 눈빛을 가진 민머리 사내의 배웅을 받으면서
박철우는 바깥으로 나선다. 그대로 그가 나오자 사람들이 무슨 일
이라도 있는가, 하고 그를 바라봤지만 그가 아무것도 아니라는 양
한 손을 슬쩍 들어 안심시켰다. 19층 로비에 있던 물산 쪽의 호위
조들도 마찬가지였다. 다만 그들은 박철우가 움직이자 슬그머니 따
라 움직이기 시작했는데, 각 계파 간의 호위들은 자기네 파벌 간부
들의 움직임에 민감하게 반응하는 것이 당연한 일이었으므로 다른
자들도 그다지 신경쓰지는 않았다.

19층에도 화장실이 있지만 조용한 곳을 원한다는 핑계로 그는
17층까지 내려가서 화장실을 이용하기로 했다. 그의 걸음에 비령
물산쪽 가드들이 따라 붙었고, 그는 엘리베이터도 있지만 굳이 층
계쪽을 이용해서 천천히 걸어 내려갔다.

비상구 쪽을 통해서 텅, 텅 발소리를 내며 걷는 그다. 그가 빌딩

의 비상 계단을 이용해 내려가며 주머니에 든 작은 휴대폰을 꺼냈다. 스마트폰이었고, 능숙하게 조작해서 최근 새롭게 저장한 번호에 문자를 한 통 보냈다.

[나왔습니다. 17층 대기실에 애들 5명과 있겠습니다.]

박철우가 걸었고, 그의 뒤를 따라 물산 쪽 호위조 인원 다섯 명이 따라서 천천히 걸어 내려왔다.

그가 툭 내뱉듯 뒤를 돌아보지 않고 층계에서 말했다.

"다 왔지?"
"예, 민석이 빼고 왔습니다."
"그래."

철우는 그의 말에 힐끔 뒤를 따르는 놈들을 보고서는 17층에 다다라 문을 열었다. 본사 건물 내부는 다른 사원들이 전혀 없었고, 거의 모든 인원들이 18층부터 20층 사이의 공간에 몰려 있었다.
그는 붉은 카펫으로 전부 깔려 있는 본사 건물의 호화스러움을 경험하면서 17층의 복도를 밟았다. 문들이 따로 잠겨 있지는 않는 듯했다. 적당히 안쪽 방을 골라, 들어간 뒤 민석이를 기다리고, 그가 오면 문을 잠근다.

김영석이라는 사내가 어떤 수작과 작전을 준비했는 지는 모르겠지만, 그저 그의 말에 따라줄 뿐이었다.

박철우는 김영석이 초인약이라는 말도 안되는 프로젝트의 물약의 임상실험자가 되었고, 어떤 기적적인 오류로 인해서 그 이름과

135

같은 능력을 얻었다는 사실을 모른다.

그러나 그 이전의 김영석이라는 작자는 알았다. 자신의 상관이었고, 이 빌어먹을 비령 그룹 내부에서 그나마 인간적으로 믿을 수 있는 인간이었다.

또 다혈질의 사내였고, 한 번 저지르고자 한 일을 쉽게 멈추는 성격도 아니었다.

어떤 꼴을 당하고 돌아와서 저렇게 버젓이 살아있는 지는 모르겠지만, 그들 전부가 죽었다고 알았었으니 그리 편한 꼴을 당한 건 아니리라.

목진형이라는, 그들이 따르던 보스는 영석보다 더 일찍이 죽었다.

김영석의 생각은 모르지만 그저 짐작만 하더라도 지지한다.

마지막으로 비령 그룹의 총회에서 난동을 부리고, 원수같은 작자들을 모조리 길동무로 삼은 뒤 이 더럽게 거대한 범죄 조직의 마무리를 그의 손으로 짓는다고 하더라도 그는 말릴 생각이 없었다.

원래 뒷거리의 부랑자패, 불량배들로 남았어야 할 놈들이 지나치게 비대해져서 이 자리까지 왔다. 그리고 그 사이에 있었던 무수한 싸움들 가운데 늘 김영석과 목진형이 있었다. 둘은 그럴 자격이 있는 인간들이었다. 이 조직에 어떤 일말의 좋은 점이 있어서 누군가 심판하지 못하고 있는 것이라면, 김영석이나 목진형이 그것들을 감수하고 결판을 짓는다면 그게 옳은 길이었다.

쓰레기 중에서도 그다지 죄질이 좋지 않은 것들이 모조리, 이 비령 그룹의 간부진들로 모여있기에 말이다.

얼핏 보아도 수십 명의 가드들과 간부진들, 또 본사 쪽 호위조를 생각하면 백이 넘는 인원들이 있을지 모르지만. 어쨌건 김영석이란 사내는 자신이 결심한 것을 멈추지 않을 테다. 그것마저 감안하고 움직이는 계획일 테니까.

박철우는 17층의 복도를 거닐다가, 안쪽의 적당히 넓어 보이는 '이사실' 하나를 골라 문을 열었다. 임원진의 개인 사무실 같은데 용케 문이 열려 있었다. 열고 들어가보자 그럴싸한 풍경이다. 제법 넓은 실내에 마침 앉아서 쉬기 좋은 소파나 채광이 좋은 창문이 있었다. 박철우는 손님용으로 쓰는 듯한 3인용 소파의 가운데에 가서 툭, 주저 앉았다.

푹신한 가죽 의자가 그를 반겨주었다.

"다들 알아서들 쉬고 있어라. 오래 안 걸릴 거다. 형님 하시는 일이."

그는 그런 사내였으니까 말이다. 언제나 단기 결전으로 모든 것들을 끝내는 돌격조의 최선봉이었다.
예전에, 한 수십 명 정도가 점거하고 있는 공사 도중의 건물에 다같이 처들어간 적이 있었다. 김영석과 목진영이 선두를 섰고, 그 뒤로 호위조가 따랐는데 고작해야 십 수 명 정도의 인원이었다. 건물 내부에 있는 놈들은 적어도 50명은 되었을 텐데.

그는 그 때 자신이 한 번 죽었다고 생각했고, 당시 아무런 상처도 없이 살아난 것을 두고 아직도 기적 중 하나라고 여기고 있었다.
김영석이 아니었다면 자신은 분명 죽었을 것이다. 그를 위해서라면, 한 번 정도는 목숨을 거는 일 비슷하게도 도와줄 수가 있었다.

진지하게 말하자면, 한 번 정도는 목숨을 버려줄 수도 있었고 말이다.

더러운 일을 하는 쓰레기들 간에도, 그래도 의리라는 것을 지켜야지만 인간으로서의 최소한의 자격이라는 게 있지 않겠는가. 박철우는 그렇게 생각했다.

그는 그 때 날뛰던 김영석의 모습을 회상하면서 비식 웃었다. 박철우 이사의 모습에 별다른 이상함을 못느끼는 호위조의 말단 놈들은, 그지 그 말에 그대로 따라 각자의 방식으로 주저앉든 기대든, 바닥에 드러눕든 하며 편하게 쉬기로 했다.

박철우는 빠진 모습을 싫어하는 인간은 아니었고. 그저 그렇게 쉬더라도 제대로 체력을 보충하고 중요할 때 움직이는 모습만 보여주면 되는 상관이었으니 말이다.

*

"내려가봐라."
"예?"
"17층에 잠깐 쉬고 있다는데. 같이 가서 나오지 말고 있어."
"어, 예……."

오민석은 창가에서 멍을 때리듯 바깥을 보고 있다가 말한 영석의 이야기에 문득 정신을 차렸다. 자세한 이야기를 들어보니 대강 때가 된 것 같았다.
민석을 비롯한 물산쪽 인원들은 김영석의 계획을 알고 있었다. 상세한 내용은 몰라도, 그가 모종의 의도를 갖고 이곳에 몰래 침투

했다는 것 말이다.

비령 물산은 어차피 그룹에서 버려지다시피 한 계파였다. 솔직히 말해서 영석과 진형의 부하들이었던 그들이 그룹에 평생을 바쳐야 할 의리까지는 느끼지 못하고 있었다.

오랜만에 본 보스의 명령에 그는 따랐고, 층계 근처의 창가에서 나란히 서 있다가 별다른 티를 내지 않고 조심스레, 비상계단을 따라 빠져 나갔다.

그는 그가 아래층에 도달한 뒤 방 안에 들어가기까지 충분한 시간을 셈했고, 아주 희미한 소리로 '철컥'하며 비상구의 문을 닫으며 민석이 나가는 것을 들은 뒤 움직이기 시작했다.

그에게는 권총 한 자루와 확장 탄창. 그리고 예비 탄창 한 개와 예리하게 갈린 던지기 용의 검은 나이프 몇 자루가 있었다. 또 양복의 바지 주머니에는 가볍게 꺼내어 낄 수 있도록 특수 제작된 너클이 있었고.

들어오면서 대대적인 몸수색을 하지는 않았다. 어차피 각 계파원들의 경호조로 따라온 것이었기에 간부들의 얼굴이 신원을 대신하는 것이었고, 결국 중요한 것은 숫자였고 이 장소에서 일을 벌일 간부진이 현재는 없다는 판단 하에 벌인 일이었다.

그마저도 영석이 모두 갖고 있던 게 아니라, 몇 가지는 그와 함께 들어온 호위조들이 가져 들어온 것을 올라오는 길에 몰래 전달받은 식으로 챙겨 들어왔다.

너무 옷가지 이곳저곳에 튀어나온 티가 나면 아무래도 눈치가 보이고, 그렇게 시선이 집중되었을 때 평범해 보이는 김영석의 안면을 살피다 소란이 날 수 있었으니까 말이다.

그는 오민석이 17층 복도에 다다라 주욱 걸어, 어느 방 문을 노크한 뒤 들어갔을 즈음을 재고는 층계 쪽으로 걸었다.

*

19. 콜트

*

호위조 인원들이 교대로 19층과 위 아래 층을 번갈아 자리를 옮기는 일은 흔한 것이었다. 회의는 나름대로 긴 시간 진행이 되었고, 한 사람이 회의실 바로 옆에서 긴장한 경계 상태를 유지하는 건 꽤나 체력이 드는 일이었으니까.

회의실 내부의 간부를 지킨다는 명목으로 여러 파벌의 조직원들이 왔고, 교대로 근무를 서듯 경계 순번을 정하는 건 흔한 일이었다.
영석이 움직이는 것 또한 그런 것처럼 여겨졌다.

그는 적당히 고개를 내리깔고 천천히, 주변의 움직임에 맞추어 걸었다. 그가 회의실 근처에 다다르기까지도 별다른 시선을 받지 않았다. 영석이 문 근처에 바로 설 때까지는 말이다. 마치 회의중인 집무실 내부로 들어가려는 듯한 제스처가 보이자 그제서야 주변에 있던 자들, 그리고 바로 문 근처에 대기하고 있던 가드들이 그를 바라보고 다가오려 했다. '무슨 일이야?'라는 물음이기도 했다.

어차피 내부에 있는 자들은 신원이 확실한 자들이었고, 안쪽에 있는 간부의 지시에 따라서 심부름이라도 온 것일 수 있으니까.

크게 보자면 비령 그룹의 한 조직원들인 셈이었고, 일을 크게 만들지 않기 위해서 가드들은 그에게 말을 걸려 했다.

"……무슨 일입니까?"

다른 파벌 간의 말단끼리는 기본적으로 크게 관여하지 않는 것이 상리였다. 문제가 생긴다면 간부끼리의 그것이었고, 말단 간에 섣불리 다툼이라도 벌였다가 격화된다면 그 뒷감당을 하기가 힘든 것이다.

지금 조직 내부의 각 파벌들은 예민한 상태로 대립하고 서로를 경계하고 있는 상황이었고, 직접적으로 교전을 벌일만큼 여유가 있는 쪽은 아무 곳도 없었다.

영석의 연배를 대강 보고 존댓말을 한 것은 회의실의 오른쪽 문 근처에 서 있던 가드, 박병일의 배려라고 할 수 있었다. 각 조직간의 상황을 염두에 둔 말이다.

영석은 그를 온전히 쳐다보지 않고, 고개만 슬쩍 돌려 싱긋 웃으면서 이야기했다.

"아, 비령 물산 박철우 이사님 호위입니다. 지시로 잠시 안에 두고 오신 물건 좀 확인하라고 하십니다."
"안에 두고 온 물건?"

"그, 잠깐 쉬고 계신데 안쪽에 휴대폰이랑 연초랑 두고 오신 모양입니다. 시켜서 가져오라고 하시덥니다."

"……그래요?"

병일은 미심쩍은 목소리와 기색으로 그를 처다보았고, 영석은 고개를 조금만 돌린 채 그에게 웃어 보이곤 문을 열었다. 슬그머니 문을 여는 그의 기색을 처다보는 다른 가드들이다.

김영석은 회의실 내부로 들어갔다.

김영석의 얼굴을 익히, 잘 알고 있는 건 아무래도 간부들이었다. 말단 조직원들에게는 일부러라도 잘 알리지 않은 김영석의 얼굴이다. 그 스스로가 그렇게 했다. 최기욱네, 금융쪽과 제약사쪽 말단들은 최근 그를 덮치기 위해서 모였으므로 그의 얼굴쯤은 한 번씩 익혀두었을지 몰라도 평범하게 생긴 인상으로 존재감없이 다니는 그를 스쳐보고 알아채기가 영 쉽지 않았다.

그는 특색 없는 얼굴이었다.

또 본인의 아무렇지 않은 행동거지가 영향을 미쳤고, 죽었다고 하는 타 파벌의 간부가 멀쩡히 살아 걸어 돌아다니리라 상상하는 것이 쉽지 않은 이유도 있었다.

영석은 어떤 의도를 가진 인간처럼 보이지 않게끔, 자연스럽고 또 조심스러운 몸가짐으로 열린 문틈으로 걸어 들어가 내부를 본다.

회의가 진행되고 있는 문은 아주 부드럽게 열렸으나, 시야의 한 구석에 누군가 들어오는 게 보인 탓인지 내부에 있던 회의자들이 출입구 쪽을 쳐다보았다.

달칵.

문이 닫혔다.

영석의 키보다 깨나 큰 넓은 회의실의 문이다. 목재로 이루어져 있어 고급스러운 느낌이 난다. 이런 현대식의 건물에 아날로그나 클래시컬함의 느낌을 주려면 현대적 기술에 뒤지지 않는 소재의 고급스러움이나 장인의 손길이 있어야 하는 법이기에 그렇다.

잘 만들어진 문이었다. 부드럽게 닫혔고. 달칵 거리는 아주 작은 소음은 내부에서 시끄럽게 떠들듯 회의하는 말소리에 묻혀서 잘 들리지 않는다.

그러나 사람들의 시선이 순간 출입구쪽에 머물렀다가 다시 이야기를 진행했고, 몇 사람은 자신이 어떤 사내의 인상을 잘못 본 것인지 헷갈려 하면서 눈을 비볐다. 개중에는 이형석 역시 있었는데, 그는 최근 연속해서 들은 어떤 이야기탓인지 자신이 보고 있는 게 정말 사실처럼 느껴져서 눈을 뗄 수가 없었다.

저건 김영석 아닌가?

아무리 봐도 죽은 비령 물산의 간부처럼 보였다. 언뜻 평범해보이는 인상을 가졌던 그다. 가까이서 보는 일도 그리 많지는 않았고. 김영석은 용의주도한 인간이고 외부에 쓸 데 없이 모습을 드러내는 일이 별로 없는 작자였으니.

그러나 그가 알고는 있는 얼굴이고 만난 적도 있다. 그런 거 아
닌가, 하는 생각이 들었다가 자세히 또 찬찬히 살펴보자 자신의 의
심이 점점 더 확신이 되어가고 있었다. 이형석은 종래에 얼굴을 구
겨버렸다.

말도 안 되지만, 아무리 봐도 똑같다. 쌍둥이같은 인물이 아닌가,
싶을 지경인데 그렇게 편리하게 비령 그룹 내에 김영석의 쌍둥이
가 있기야 하겠나.

만일 김영석이라는 놈이 꾀를 내어서, 자신과 비슷한 놈을 가져
다가 성형 수술이라도 시킨 뒤에 똑같이 만들어 미끼로 쓰려고 했
다면 차라리 그럴 수 있을지 모른다. 이형석은 차마 떨어지지 않는
눈길을 떼지 못하고 표정 관리에 실패했고, 제일 앞장서서 이야기
를 진행하던 주관자가 그런 꼴을 보이자 그만 회의장의 다른 간부
들도 그의 시선을 따라 다시금 뒤로 고개를 돌렸다.

거기엔 김영석이 있었다.

철컥.

하고 김영석은 회의실 내부의 문을 잠갔다.

그의 키보다 높았지만 간신히 손을 올려 뻗어 뒤꿈치를 들자 닿
았다. 상부에 잠금 장치가 있었고, 양문을 전부 잠근 뒤 손잡이에
있는 버튼으로도 문을 잠갔다.

'뭐야?!' '어이!'

바깥에서 철컥이는 소리와 함께 회의실 문이 잠기자 가드들이

소리를 냈다. 희미한 말소리였다. 영석의 행동은 명백한 이상이었고, 눈치가 빠른 자들은 이상한 낌새를 느낀 뒤 그를 경계하듯 바라보았다.

고작해야 1, 2초 정도. 김영석이 뜸을 들인 시간은 그 정도였다. 김영석의 기이한 분위기에 참지 못한 자들이 바깥에 있는 가드들을 호출하려 소리를 친다거나, 핸드폰을 들어 직접 문을 부수고 들어오라며 연락을 하려던 참이었다.

영석은 마지막 이야기를 전했다.

"날 좋다, 이 씹새끼들아."

참으로 화창한 오후였다.

*

가장 먼저는, 비도를 날렸다.

툭, 하고 소매를 치듯이 팔을 털자 그 내부에서 검은 나이프 한 자루가 삐져나왔다. 실 따위에 허술하게 매여있었던 것인데, 강하게 팔을 털면 끊어질 정도로 딱 절묘하게 묶어두었던 놈이다. 왼팔에 하나, 오른 팔에 하나를 묶었다. 나머지는 재킷 내부 안감 쪽에 꼬매 두었다.

그가 훅, 하고 팔을 휘둘렀다.

손아귀에 잡힌 검은 색의 단도가 바람을 가르는 소리를 내며 일직선으로 곧게 향했다. 그가 노리는 쪽은 비령 그룹의 정리를 총괄하고 있는 이형석을 향해서였다.

단도는 총알보다는 아니었지만, 사람의 눈으로 보기에는 거의 다름없는 속도로 그 명치 부근에 가닿았다.

쿡, 하고 찔리는 듯한 감각이 들었다. 곧바로 다음에 검은 나이프는 손잡이까지 그 속에 박혀 들어가면서, 심장을 찢고 피를 냈다.

울컥, 하는 피가 이형석의 입매에서 흘러나왔다. 그는 그대로 격통에 반쯤은 정신을 잃었다. 총탄에 맞은 것보다 더 좋지 못한 꼴이었다. 탄환보다 거대한 나이프는 거대한 상처를 내고 내부를 헤집었다.
"어…" 하고 비명을 누군가가 지르려던 찰나였다. 김영석은 다시금 나이프를 툭, 꺼내들어 상석 부근에 위치한 간부의 머리를 꿰뚫는다.

사람이 죽는 꼴은 누구에게 보여줄만한 모습은 아니었다. 김영석은 뒷춤에 꽂아 두었던 호위용의 권총을 꺼내들었다. 양복 자켓은 속주머니가 아주 많았다. 탄창 하나를 꺼내들어 철커덕, 꽂았다.

순식간의 손놀림으로 권총의 조준선이 정확히 앉아서 어벙한 표정을 짓고있는 간부들의 머리 부근을 노린다. 권총이 앞을 바라보고, 연사는 아니되 극한의 속사로 정확한 사격을 시작하기 직전
사람들은 비명을 질렀다.

"으아아아아!" "씨발, 뭐야 저 새끼!" "으아아아!" "가드, 야 씨

발 밖에 애들 뭐 하는 거야!"

몇 마디 말이 터져 나오는 가운데 이미 영석은 방아쇠를 당겼다.

탕!

하고 총알 하나는 날아 그 옆머리에 맞았다. 먼저 자리에서 벌떡 일어나던 인간의 측두부였다. 그대로 부수고 지나간 탄환은 끔찍한 흔적을 주변에 남겼고, 조직의 간부들은 다시금 비명을 지르면서 일어났다.

간부들 중 회의실에 총을 가지고 들어온 작자들이 있었다. 공업사 쪽의 3인자 즈음 되는 오하균도 개중 하나였고, 그는 떨리는 손을 붙들면서 품에서 권총 하나를 꺼내들어 영석을 겨눴다.
영석은 차분하게 여러 발을 조준 사격했고,

탕, 탕, 탕,

하고 연이어서 터져 나오는 총성으로 꼭 그와 같은 수의 사람들이 죽었다.

오하균 역시 영석의 눈에 띄어 그대로 사격했다. 탕! 심장에 정확히 탄환을 맞은 그는 숨 넘어가는 작은 소리와 함께 절명했다. 손쉬운 일이었다. 이들의 목숨을 없애는 건 말이다. 영석은 계속해서 탄알집이 바닥날 때까지 갈겼다. 탕탕탕! 쾅!

그가 쏘는 총성 사이로 바깥에서 총격이 터져나왔다. 그대로 회의실 문을 부수고 들어오는 탄환은 실내 바닥이나 벽면 따위를 맞고 파고 들어간다. 영석은 바로 옆으로 뛰듯이 몸을 옮겼다. 곧이어, 쾅! 하고 몇 놈이 커다란 나무 문을 부수면서 들어왔다. 잠금 장치에 총을 갈긴듯 열려버린 문의 몇 개 장치가 후두둑 하며 그 잔해를 떨군다.

탕!

영석은 자신의 시선에서 오른쪽으로 뛰었었다. 회의실의 넓고 긴 문이 열리는 동작 범위 바깥까지 순식간에 빠져 나갔고, 마치 최길서의 집무실에서 그러했듯 벽면에 딱 달라붙어 사각을 만든 뒤 들어오는 놈들을 침착하게 조준 사격했다.

한 발이라도 놓치면 결국 살아서 그에게 총격이 쏟아질 상황이었다. 타타탕! 연속해서 갈기는 총격은 모조리 성공했고, 쏟아지듯 들어오던 놈들은 그대로 총격에 몸의 중요 장기 어느 부분인가가 갈려나가며 바닥에 쓰러진다. 회의실 내부에 무기를 들고 있던 놈들 위주로 먼저 처리했다.

탕! 하고 어떤 놈이 총을 쐈다. 감추고 있던 작자가 영석을 겨누고 쏜 모양인데, 회의실 내부 크기가 꽤나 넓고 영석이 그 끝 벽면에 붙어 있어서인지 한 번에 맞추지 못하고 빗나갔다. 영석은 쏴대던 권총을 한 번 옆으로 틀어 탕! 하고 갈겼다.

슥 고개를 돌려 잠시 시선을 준 것 뿐이었지만 그것만으로 조준에 필요한 시각 정보는 모두 얻을 수 있었다.

확장 탄창이 모조리 끝나기 전에, 영석은 자켓 내부의 주머니로

부터 탄창을 더듬어 확인했다. 하나하나 세어가며 서른 발을 모두 쏴댔을 즈음에, 그는 마지막 한 발을 탕! 쏜 뒤 그대로 탄창을 아래로 떨어뜨렸다. 품 안에서 예비 탄창을 꺼내들어 결합시키는 데 눈 몇 번 깜짝일 시간 정도가 지났다.

다행히, 가드들이 밀고 들어오면서 문 앞에 시체 더미가 다시 쌓여 충분히 갈아낄만한 시간을 갖게 되었다. 영석은 다시 한 번 문 쪽을 노려보며 회의실 내부로 들어오는 가드들을 쏘다가, 한 발은 다시 팔을 쭉 뻗고 옆으로 돌려 간부 중 한 놈의 머리를 터뜨린 뒤에야 다시금 호위조를 상대했다.

간부들은 순식간에 삼 분의 일 정도가 목숨을 잃었다. 애초에 그리 많은 수가 들어온 것도 아니었으므로 말이다. 고작해야 스물세 명이었고, 일고 여덟 명 정도가 시체가 되어 널브러졌다.
곧 나머지 탄창은 전부 문 앞에 적들의 시체로 바리케이트를 만드는 데 사용했다.

발이 걸려서 넘어질 정도로, 쉽게 들어오지 못하게끔 자연스럽게 둔덕이 생겼고 그가 딱 붙은 벽면에서 조금 떨어져 옆을 바라보자, 복도 쪽에서 총을 겨누고 있는 한 놈이 보이기에 마침 쏴서 죽였다.

탕!

복도 쪽에 서서 회의실 내부를 바라보고 영석을 노리려고 꾀를 쓰던 놈은, 그대로 그의 모습이 보여 방아쇠를 당기려 했다. 그 다음 그가 느낀 것은 어둠이었고, 곧바로 목숨을 잃는다.

"으아아아!"

조직원들은 눈 앞에서 사람이 죽으면 보통 괴성을 내지른다. 일반인들과 다른 점이라면 단순한 비명이라기보다 적을 죽이기 위한 기합의 의미도 조금 들어있다는 사실이었다.

그러나 대부분은 그들 역시 두려움을 느끼는 사람이었기에, 몸이 굳는 게 어쩔 수 없다.

불안감은 그들의 움직임을 난폭하게 만든다.

훈련된 특수 부대의 병사들이 아니었기에, 그들 하나하나의 명중률은 형편없이 떨어지게 마련이다. 김영석에게는 좋은 먹잇감 이상도 이하도 아니게 된다.

19층에 머물러 있던 가드들이 반 수 이상 빠져나갔다. 회의실이 있는 해당 층에는 IT계열사에 속한 조직원들 보다는 각 계파에서 끌고 온 호위조들이 자리를 많이 차지하고 있었다.

회의실 근처에서 벌어진 소란으로 각지에 대기하고 있던 IT사의 경비조 인원들이 움직이기 시작했고, 가장 먼저는 20층과 18층에 있던 자들이 달려오는 것이었다.

영석은 금세 예비 탄창을 다 써간다고 느꼈다. 오십 여 발에 달하는 탄알은 한 번도 목숨을 앗아가지 못한 적이 없었다. 모조리 상대의 장기를 찢는데 사용된 탄환이었고, 그는 천천히 사격을 계속하면서 집무실의 문 근처로 다가갔다.

한 걸음, 한 걸음 걸어가면서 복도 너머의 시야가 조금씩 트였다. 문쪽으로 들어오지 않더라도 집무실로 나갔을 때 오른 쪽에 서 있는 놈들이 다가오는 게 보이는 것이다.

그들이 조준하기 전에 먼저 쏴 맞추면서 문의 근처로 다가선다. 마지막 순간에는 몸을 훅 날려 시체 더미 아래에 다가섰다. 그리고 슬쩍 훑어 본 시야로 떨어진 총 몇 개를 손가락에 한 번에 걸어 뒤로 빼며 움직였다. 탕!

하고 마지막 총알을 소비했다. 영석은 그대로 뒤로 자세를 눕히며 다이빙을 하듯 훅 뛰었다. 타탕! 하고 바깥에서 응진하는 사격이 방 안쪽으로 날아들었다. 그가 몸을 아래로 굽혔기에 허공을 가르는 탄알들이었다. 쿠당탕, 하고 카펫 위에 들이박은 영석은 그대로 손가락에 건 권총 두 정을 손아귀에 쥐었다. 오른 손에 든 것을 한 발 날린다.

탕!

하고 총알이 격발되었다. 왼 손에 있는 것도 마침 문 안으로 들어오고 있던 가드의 머리를 날리는데 써보았다. 탕!

다행히 두 정 모두 총알이 남아 있었다. 얼마나 남아있는지 알지 못한다는 게 아쉽고도 어려운 부분이었다.

일반적인 콜트 권총이었고, 손으로 느껴지는 무게감으로 보아하니 10여 발 정도 각 정에 남아있는게 느껴졌다. 정확한 수치는 아니었다. 딱 이 모델의 무게감을 알고 있던 게 아니었으니 일반적인 권총의 무게에 따른 추정치에 불과하다.

탕, 타탕, 탕, 타탕!

영석은 신나게 총을 갈겨댔고, 개중 꼭 한 발은 간부들의 머리

통을 꿰뚫었다. 얼마 지나지 않아 자연스럽게 백 덤블링으로 일어나며 거리를 뒤로 벌렸다. 회의실의 벽면 쪽으로 다가가면 다가갈수록 점차 바깥은 보이지 않는 사각이 된다.

다행히 회의실의 벽면은 최신식 빌딩답게 아주 튼튼하고 그럴싸한 자재로 지어져 있었다. 총알이 벽면은 관통하지 못했다.

"막아, 막아, 씨발, 쏴! 개새끼들아!"

살아남은 간부 중 익숙한 얼굴 하나가 발악을 했다. 제약사 쪽의 2인자 즈음 되는 놈이었다. 민형석이 죽은 뒤 그 자리를 대신차지한 모양이었다. 영석은 왼 손에 든 권총을 자신의 든 오른팔아래로 슬쩍 방향을 바꾸어 동시에 두 정을 쐈다. 탕! 마치 합창을하듯 정확한 박자로 겹친 소리에, 말단 가드와 간부가 함께 죽었다.

두두두, 하고 이미 귀따가운 총성에 얼얼한 귀가 먼 소리만을듣게 될 때 즈음 19층에 본래 있던 가드들 중 대부분이 정리된 모양이었다. 다른 층에서 밀려 들어오는 놈들이 새롭게 자리를 메운다.

영석은 다시금 거리를 좁히며 시체 더미에 다가가, 권총을 즉석에서 구해다 계속 쏘고 그 시신으로 이루어진 엄폐물로 총알을 피하는 등의 짓거리를 반복했다.

약 이, 삼 분 정도가 지나기 전에 회의실 내부에는 살아남은 인간이 없었다. 시체 더미가 사람의 시야를 온전히 가릴만치, 그러니까 영석이 쪼그려 앉은 체격을 완벽히 가릴만한 높이가 되자 일은점차 쉬워졌다. 복도에 조직원들의 시체가 널브러졌다. 영석은 아예 문 근처에서 빙빙 돌면서 바깥에 있는 놈들을 천천히 잡아 먹었다. 여러 정의 권총을 바깥 쪽으로 흩뿌린 뒤에 갈아 끼면서 눈에 들어오는 자들을 쏴대는 것이다.

좋은 자리를 잡고 사각을 점유한 영석을 잡을만한 인간이 별로 없었다. 가드들은, 곧 그들에게 명령을 내릴만한 간부가 남아있지 않다는 사실을 발견했지만, 그럼에도 불구하고 건방지게 비령 그룹의 본사 건물을 침입한 암살자를 죽이기 위해 총을 쏴대며 달려든다.

영석은 한참을 지루하게 총격전을 벌였고, 스친 총상 하나 입지 않은 채로 19층을 조용하게 만들었다.

*

"……."

잠시 기다리며 누군가 다가오는지 살폈다. 인기척도, 총성도, 비명 따위도 이제는 없었다. 조용한 시체들의 무덤이 되어버린 19층의 한 켠 복도는 널브러진 시체들과 그 잔해들로 가득했다. 복도를 이루는 깔끔한 느낌의 복도 바닥이 온통 진득한 피나 체액이 뒤덮고 있었다.

그리, 썩 유쾌한 광경은 아니었다. 영석은 툭툭, 손에 든 권총을 털어내면서 탄알집을 살폈다. 두, 세 발 남은 것을 양 손에 끼고 있었다. 그는 사용하지 않은 권총들을 골라내어 천천히 탄알집을 꺼냈고, 몇 개 남지 않은 탄알집에 끼워넣기 시작했다.

총알을 골라 가득 찬 탄알집 두 세개를 넉넉히 만들어두고서, 영석은 자신이 날렸던 비도까지 회수해 19층을 벗어났다.

*

더 이상 연락이 들리지 않았다.

IT본사에는 아직 IT사 계열의, 이형석을 따르던 경비조원들이 남아 있었다. 각층에 남아 있던 자들 중 대부분이 19층으로 향했고, 반 수 이상이 소란을 듣고 빠르게 움직였다.
그리고 그들간에 무전이나 핸드폰 따위로 계속해서 오던 연락이 멎었다. 사태가 진정이 된 것인지, 혹은 아닌지.

그들이 따르는 조장이나 혹은 이형석의 직접적인 연락이 없자 그들은 고민하기 시작했고, 천천히 빌딩 내부를 수색하며 걸었다.

김영석은 19층을 벗어나 아래로 향했다. 그가 없애고자 했던 인간들은 대개 처치한 상태였으니 말이다. 가장 윗대가리라 할 수 있는 자들의 목을 베었다. 실제로 벤 건 아니고 뭐, 총알을 사용해 목숨을 날린 것 뿐이지만. 아무튼 그리고 나서 그 다음 간부진들이라 할 수 있는 중진들을 모조리 처치했다.

비령 그룹이 당장 제 기능을 하기는 힘들 것이다. 거대한 집단은 유지하기 위한 머리와 손발, 또 혈관을 도는 피들이 있어야만 했다. 말단 조직원들과 사원들은 남았을지 모르겠지만 집단의 향방을 결정하는 수뇌부가 부재한 상태에서 어떻게 움직일 수는 없었다.

머리의 상실은 곧 집단이 연합하고 있던 기본적인 연결 고리의 부재를 뜻한다. 그들이 한 조직이어야 할 이유를 끊임없이 설파하는 것이 머리의 역할이었으니 말이다.

비령 그룹은 아마 각 계파별로 찢어질 확률이 높았다. 서로 간의 이야기가 잘 통하지 않고, 한 개의 거대한 조직이었던 시절이 아니라 보다 예전 중소 규모의 범죄 조직이었던 시대로 회귀할 것이다.

유력한 투자자들과 이야기를 직접 할 만한 놈들이 적어질 수록 비령 그룹 자체에 대한 투자도 적어질 것이고. 그들이 벌이고 있는 사업 역시 각 분야 별로 찢어질 확률이 다분히 높았다.

비령 그룹이 사회에서 차지하고 있는 영향력이나 크기 때문에 함부로, 한 번에 치기가 어려웠던 경찰 등 공권력의 조직들도 이제는 조금 더 건드리기가 쉬울 테다.

거기에 몇 건의 내부 고발을 더한다면 비령 그룹은 완전히 무너질 것이다.

그를 도와줬던 비령 물산에 대해서는, 안타깝지만 남은 생애는 그들이 알아서 해야 할 테였다. 다같이 모여서 건전한 사업이나 벌이고 땀흘려 일하고 돈을 벌던지, 해야겠지.

어차피 몸 쓰는 일에는 자신있는 놈들로만 채워진 조직이니 알아서 잘 할 것이다.

IT사 본사는 고요했다.

내부의 소음이 멎었다.

시끄럽던 무전과 휴대폰 속의 연락도 멈추었고.

각자 조를 이루어서 조심스럽게 근처를 수색하는 IT사 계열의 남은 조직원들이 있었다. 그들의 무장은 대개는 실탄을 넣은 권총이나 사시미칼, 삼단 철봉 따위였다.

빌딩 건물 내부에서의 일은 다행히도, 외부로까지 새어 나가지는 않았다. 고층 빌딩과 빌딩 사이에 간극이 상당히 크기도 했고. 지을 때 이런 일이 있을까 해서 방음을 다소 고려한 설계가 일시적인 차단 효과를 보였다.

저벅, 거리며 김영석은 아무도 없는 빌딩 내부를 걷는다.

그가 천천히 내려간다. 정문으로 돌파해서 나가는 건 아무래도 어리석은 짓일 것이다. 회의가 끝날 때까지 가드들이 단단히 지키고 있을 듯한 모습이었다.

빌딩 고층, 상부 내밀한 곳에서 소란을 일으키면 몰라도 정문 현관에서 총을 쏘거나 사람을 죽였다가는 도심지를 지나는 사람들이 곧바로 보고 신고를 할 테였고.
물론 수습을 위한 작자들은 와야했지만 말이다. 적어도 이 상황에서 그를 도와준 비령 물산쪽 부하들을 같이 잡아 넘길 생각은 없었다.

17층, 16층, 15층.

그는 저벅거리며 걸어 내려갔다. 엘레베이터를 쓰는 건 시끄러운 일이었다. 아마 그 주변을 주시하고 있는 상대가 있다면 자신이 어디로 가는지 곧장 보일 테니까.

문이 열리는 순간 상대방과의 교전이 시작될 수도 있는, 좁은 공간에 자신을 밀어넣는 건 아무래도 어리석은 짓거리였다.

영석은 천천히 계단을 걸었고, 얼마 지나지 않아 12층 즈음에 다다랐다. 비상구 옆을 지나는데, 사람들의 말소리나 걸음 소리가 들렸다. 모든 일이 끝나기 전에 17층의 대기실에서 비령 물산의 부하들은 나오지 않을 것이다.
지금은 모든 일반 사원과 비령 그룹과는 관계 없는 민간인들이 자리를 피한 때였고, 곧 움직이고 있는 자들은 전부 비령의 전투조라고 봐도 좋으리라.

영석은 덜컥, 하고 문을 열었다.

*

20. 퇴장

*

"……."

박철우는 바깥이 소란스럽다고 생각했다. 김영석이 일을 제법 잘 벌인 모양이었다. 그들이 17층 안쪽의 방에 들어오는 걸 본 사람은 따로 없었다. 그렇다고 하더라도 굳이 간부가 쉬고 있을 대기실 문을 열고 지랄을 할 말단 조직원이 없을 테였고.

박철우와 오민석을 비롯해서 호위조로 따라온 사내들은 어느 이 사실의 바닥이나 소파, 의자 등에서 편안하게 쉬었다.

전투를 대비해야 한다는 생각쯤은 머리 한 켠에 갖고는 있었다. 탕, 탕… 하는 멀리서 들리는 듯한 총성이 있기는 했다. 연발로 들 리는 발포음은 격전이 일어나고 있는 것처럼 보인다.

김영석 혼자서 벌이는 일이 아니었던가? 조직간 항쟁 때 들리아 할 정도의 연발 사격음이 들렸다.

한참동안이나 그런 소란이 유지되다가, 어느 순간 약속이라도 한 마냥 조용해졌다.

"…야."

쥐죽은 듯이 조용한 빌딩 내다. 얼마간 정적 속에 있던 박철우 가 대기하고 있는 이사실의 문 근처에 누워서 쉬고 있는 놈에게 말했다. 오민석이었다.

"예."

오민석이 일어나면서 답했다. 그에 박철우가 묻는다.

"……아무것도 안들리는 거 맞지?"
"……예."

민석이 고개를 끄덕였다. 그와 함께 다른 이들도 마찬가지로 긍정했다. 박철우는 잠시 생각을 하는듯 턱을 쓰다듬었다. 이사실에도 창문이 있었다. 바깥은 햇살이 쨍쨍하다.

잠시 고민하던 그는 다시금 몸을 소파에 파묻었다. 마침 다리를 놓기 적당한 높이의 테이블이 있어 다리를 뻗고 있는 중이다.

"…연락 주겠지."

그는 그대로 팔짱을 끼면서 등을 푹 기대었다.

오민석이나 다른 놈들도 박철우가 다시 쉬려는 듯 하자, 일어나려 했다가 제자리에서 쉼을 가졌다.

*

휙,

검은 단도가 난다.

약 수십 미터 정도를 날아서 사람을 꿰뚫는 단도라는 건, 사실상 총이나 다름 없었다. 또 총과 같이 기계의 힘을 빌려서 날려보내야 하는 수준의 위력이었다. 영석이 날리는 단도는 그 정도의 사거리와 위력을 갖고 있었다.

급할 때 권총 대신 사용해도 얼마든지 좋을만한 무기였다.

12층의 문을 열고 들어갔던 영석은, 그대로 복도를 거닐던 비령그룹의 조직원 몇과 마주쳤고, 엉망이 되어버린 그의 차림새와 총을 들고 있는 모양에 그대로 총을 겨누며 대응하려 했던 그들을 없앴다.

몇 개의 비도가 허공을 날았고, 총격도 두어 번 오갔다.

순식간에 네 명을 바닥에 눕게 만든 영석은 그대로 12층의 이곳 저곳을 돌아다니다가, 인적이 없음을 깨닫고 다시 계단을 이용해 내려갔다.

탕! 하고 12층에서 싸울 때 났던 권총의 소음이 건물 내부에서 희미하게 들렸다. 영석은 11층, 10층, 9층 따위를 돌면서 남은 잔 당들을 소탕했다.
마침 총을 가지고 있는 놈들이 많았기에, 탄알을 수급하는 것 역시 어려움이 없었다. 제식 권총으로 조직원들이 따로 맞추기라도 했는지 모두 같은 규격의 물건들이었다.

19층보다 위에 있던 조직원들의 경우에는 천천히 일대를 수색하 면서 내려오기에 영석과 마주치지 못했다. 그가 2층에 내려와 대 부분의 적들을 없앴을 때 빌딩 고층에 있던 자들이 19층에 다다랐 고, 경악을 감추지 못했다.

곧바로 덜덜 떨리는 손으로 1층에 있는 가드들에게 연락을 취했 고, 영석은 2층의 비상계단 근처에서 뛰어 올라오는 가드들을 상 대해야 했다.

탕!

하고 먼저 한 발을 쏘아 계단 층계에서 한 명을 미끄러뜨리고 곧바로, 비상구를 눌러 열며 2층 복도로 들어갔던 그다.

이미 영석이 몇 명인가를 처리해서 시체가 널브러진 복도였다. 그는 그대로 문을 밀어 열고 오른 쪽으로 뛰어 복도 안쪽까지 빠졌다. 한 십 수 미터 정도를 넉넉히 거리를 벌린 뒤 뒤를 돌아 총을 겨눈다.

그를 따라 문을 박차고 밀고 들어온 가드들의 옆통수에 연격으로 납탄을 선물해주었다. 타탕! 순식간에 발사한 두 발의 사격은 연사처럼 느껴지기도 한다. 나머지 그를 발견했는지 "우아악!" 소리를 내지르며 방향을 틀어 보이는 놈들도 지나치게 느렸다.
그들이 대응 사격을 하기 전에 몇 발의 탄환이 사이좋게 장기를 찢었다.

"끄아아아!" 심장이 찢기는 듯한 비명을 지르면서 가드들이 죽어나갔다. 텅, 하고 계단을 울리는 소리를 내면서 밀고 들어오던 놈들이 멈췄다. 영석은 탄알이 몇 발 정도 남았는가, 를 가늠하다가 챙겨 두었던 비도를 다시금 휙, 날렸다. 문을 통해 2층에 들어오지 않고 벽면에 붙어 영석을 쏴보려던 놈의 미간이 꿰뚫리면서 그대로 쓰러졌다. 그 모습에 앞에 있던 가드가 히이이, 하는 숨 새는 고성을 질렀다.

소음에 정확히 위치를 알게 된 영석은 탕! 하고 총을 쏜다. 영석의 입장에서는 완벽한 사각에 위치했지만 적당히 탄환을 빗겨 맞게끔, 열려 있는 비상구의 철 부분을 노렸다. 비스듬하게 맞아 튀어나간 도탄이 보이지 않는 곳에 붙어 있던 놈의 몸을 스치고 지나갔다.

완벽하게 계산대로 되지는 않는 모양이었다. 다소의 연습이 필요한 걸지도 모르고. "크악." 가장 시끄러운 건 늘 빗맞은 놈들이었다. 영석과 싸우면서 빗맞는 놈들은 별로 없기는 했지만. 납탄이 한 명의 몸을 꿰뚫고 그 뒤에 있는 녀석을 맞춘다면 이따금씩 절규와 같은 고성이 터져 나오기는 했다.

영석은 서두르지 않고 천천히 접근했고, 문 근처에서 가만히 소리에 귀를 기울였다. 1층에서 올라온 가드들이 그리 수가 많지 않다고 생각했다. 정문 유리문을 지키는 역할이었으니, 보여주기 용으로 덩치 좋은 놈들 몇 명 정도가 다녔던 모양이다. 아무리 자신의 인기척을 감추어도 초인적인 수준으로 발달이 된 김영석의 감각을 피하기가 불가능했다.

거진 눈과 같이 보이지 않는 공간을 탐지할 수 있는 청각이 있었고, 온전히 죽지 않은 한 놈만이 비상 계단에 유일하게 남은 조직원이라는 걸 깨닫고, 그는 보지도 않은 채 손만 쑥 내밀어 층계에 쓰러져 있던 놈을 쏴버렸다.

탕!

하는 시끄러운 소리가 계단 전체에 울린다. 그리고 마지막 놈이 목숨을 잃었다.

김영석은 직감적으로 대부분의 조직원을 처리했음을 깨달았다.

그는 시체 더미를 지나 1층으로 내려갔다.

걷는 길은 피로 물든 자리가 제법 있었다. 신은 정장 구두에서 붉은 발자국이 남았다.

그것이 카펫에 전부 옮겨 묻어 흔적이 지워졌을 무렵. 그는 비상계단에서 이어지는 복도를 벗어나 1층 홀에 있었다.

아무도 없는 빈 공간이다.

황량하게 느껴지는, 거대한 건축물의 내부가 고요하다.

영석은 정문을 지키고 있는 놈들이 하나도 없음을 보고, 휴대폰을 들어 박철우를 호출했다.

*

박철우와 오민석을 비롯해서, 비령 물산 쪽에 남아있는 인원은 일곱이었다. 김영석을 더한다면 여덟 명이다.

다행히 17층에 있었고, 그대로 엘리베이터를 이용해 1층으로 내려온 그들 일행은 상부에서 천천히 내려오던 다른 조직원들과 마주치지 않고 홀까지 다다랐다.

영석은 그들을 배웅하며 내보냈다. 자신 역시 나가야 할 것이다.

"……."

박철우는 1층에서 김영석의 모습을 보고 할 말을 잃어버렸다. 그가 어떤 난관을 지나쳤는지 알 수 없었다. 빌딩에서 들리던 계속되던 소음은 김영석과 그 상대편이던 다른 조직원들이 만들어낸 것인 모양이다.
그의 눈앞에 있는 김영석이 별다른 상처가 없이 멀쩡한 것을 보

163

면, 고스란히 그 소란이 상대방의 죽음으로 이루어져 있다는 말이 되었다.

철우는 그게 과연 가능한 일인가, 에 대해서 끊임없이 고민이 되었으나 당장 눈 앞에 현실적인 증거가 있다면 어쩔 수 없이 믿어야 했다.

그는 피묻은 김영석의 꼴을 보고, 손가락을 휘휘 움직여 옆에 있던 부하 하나를 불렀다.
김결수라는 이름의 평범한 체격, 약간 어두워 보이는 인상을 가진 놈이었다. 그가 가방 따위를 손에 들고 있었는데, 안에는 여분의 옷가지가 있었다.

박철우는 혹시 일이 잘못되었더라도, 김영석이 도주할 수 있다면 그 때 도움을 주기 위해서 이런저런 물건들을 담아 가방에 챙겨 들어왔다. 그가 직접 들고 들어온 건 아니었지만.

영석에게 그걸 넘겨주자 그가 툭, 하고 비교적 깨끗한 손을 들어 그의 팔뚝을 쳤다.

"들어가라."

김영석의 말은 오랜만에 듣는 것이었다. 박철우는 그 말이 제법 정겹다고 느꼈다. 범죄 조직에서 느낄만한 감상은 아니었다.
그렇기 때문에, 그가 김영석을 도왔는 지도 모른다.

김영석은 마지막으로 조언했다.

"비령 물산은 이름을 바꾸던지, 해라. 그리고 하던 사업들도 남 보기 부끄러운 것들은 다 접고. 아마 경찰 조직에서 대대적으로 수사가 들어갈 거다. 비령 그룹은 이제 없다고 생각해."

그의 스케일에선 이해가 가지 않는 말이었지만, 김영석의 말이기에 그러려니 했다. 박철우는 납득가지 않는 점이 많았지만, 그냥 납득하기로 했다. 그는 마지막이 될 지도 모르는 보스의 면전에, 고개를 꾸벅 숙여 보였다. 김영석은 손을 휘휘 저었고, 그들은 이 빌딩에서 무사한 모습으로 나가는 첫 탈출자들이 되었다.

툭툭.

김영석은 로비의 카펫이 없는, 대리석인지 뭔지 모를 바닥 부근에 가죽 구두를 털었다. 터는대로 핏방울이 바짓단이나 어디에서 떨어져 나왔다.

이대로 시내를 돌아다닐 수 있는 꼴은 아니었다.

그는 일단 로비에서 바로 보이는 화장실로 들어가, 박철우가 준 옷가지로 갈아입기로 했다.

그 사이에 남은 조직원들을 만나게 된다면 목숨을 거둘 테였고, 그가 나가기 전까지 마주칠 일이 없다면 그들은 살 것이다.

김영석의 목적은 비령 그룹의 몰락과 파괴였으므로, 굳이 누군가를 죽이고자 하는 건 아니었다. 죽여야만 멈추는 머저리들의 경우에는 가차없이 목숨을 빼앗기는 했지만.

간부진들이 전부 목숨을 잃고 상황이 일단락된 시점에서 더 이상 거두어들이고 싶지는 않았다. 모르는 놈들의 목숨까지를 말이다.

상황을 제어할 중추가 사라진 그룹은 빠르게 몰락하거나, 쇠퇴하거나, 더욱 큰 혼란에 들어갈 것이다.

거기서 비령 물산의 이사이자 그룹의 오랜 간부로서 그가 모아왔던 온갖 자료들을 경찰 조직에 넘긴다면 일은 한층 쉬워지리라.
비령 그룹의 약점이 될만한 비밀장부나 다양한 데이터들은 예전부터 따로 보관하고 있었다. 영석은 천천히, 그리 서두르지 않고 로비 근처의 화장실에 들어가 세면대의 물로 피를 닦아내고, 버리려는 옷을 걸레로 이용해 몸을 닦고 한참 고생을 한 뒤 멀쩡한 모습으로 건물을 나설 수 있었다.

우연인지, 혹은 빌딩 내에 도사릴 괴물을 두려워 한 조직원들의 의도된 행동인지는 모르겠지만 그가 나설 때까지 다행히 다른 이들과 더 마주치는 일은 없었다.

*

"……."

유종진은 이제 넋이 나간 표정이 되었다.

김도건이 죽을 때까지만 하더라도 비령 그룹은 분명 형체가 남아있는 조직이었다. 거기서 이형석과 제대로 이야기를 나누었고, 그는 조직의 간부급 사이에서 은연중에 떠돌던 소문을 취합해 한

가지 가설을 완성시켰었다.

'초인약'이라는 기적적인 약물에 대한 이야기였다.

그러나 그 이야기가 과연 진실성을 가지고 있었는지, 아닌지 이제는 파악할 길이 없었다.

돌연 총회를 가졌던 비령 그룹의 비령 IT 본사 건물에서 사건이 터졌다.

간부진들과, 그룹의 중역들을 호위하기 위해 모인 조직의 수많은 호위조들이 전부 누군가에게 죽임을 당한 일이다.

사회에서 언제나 폭력을 저지르는 쪽의 입장이었던 범죄 조직의 행동파 일원들이 일방적으로 학살을 당했다는 게 도저히 믿어지지 않았다.

그러나 믿어지지 않는다고, 현실을 받아들이지 않을 수도 없었다.

유종진은 부들거리는 손으로 비령 그룹을 포기해야 함을 인정했고, 초인약에 대한 희미한 단서마저 끊어졌음을 알았다.

그의 나이가 55세였으니, 이제 슬슬 훗날에 대해서 생각하지 않을 수 없는 시기였다.
훗날이라 함은, 그가 자연적으로 맞이할 죽음을 뜻했다.
유종진은 죽음을 원하지 않았다. 누구도 죽음을 원하지는 않지만, 그는 특히나 더 생에 대한 집착이 강렬했다.

차라리 양심에 맞는 올바른 삶을 살고 편안하게 눈을 감는 것이 나을런지도 모르겠으나, 유종진은 그러지 않았다. 조금이라도 육체적인 쇠락과 반감기를 지나 자꾸만 처지는 체력을 보충할 수 있는 무언가를 찾았고, 초인약이라는 이름과 그 성능은 그의 눈에 확연하게 띄는 무엇이었다.

김영석이라는 인물이 정말로 초인약을 투여받고 우연한 일이든 무엇이든 그 이름 그대로의 성능을 각성해 죽음의 근처에서 살아 돌아왔다면. 그 초인약은 자신의 것이 되어야 할 테였다. 비령 그룹에 대해 가장 많은 지지와 투자를 하고 있는 것이 그 자신이었으니까 말이다.

유종진은 그게 합당한 일이라고 생각했고, 자신의 권리라고 느꼈다.

그러나 지금 이제, 비령 그룹이 아예 폭삭 망해버릴 수준이 되어서는 그 바람에 대한 끈이 희미하다.

온전히 범죄 조직으로서의 신분과 정체성을 가진 놈들이다. 그들이 하는 사업과 비리, 범죄들을 유종진이 전부 떠안을 수는 없었다.

그랬다가는 양화 기업을 이끌고 있는 유종진 회장으로서의 정체성이 아예 사라질 테니까. 직접 범죄에 손을 대는 것과 간접적으로 투자를 하고 끈을 대어놓는 일은 상당히 다른 것이었다. 나중에 혹시나, 걸리게 되더라도 사용할 수 있는 수단이 현저히 적어진다. 직접적으로 손을 대었을 때는.

종진은 자택에서 쉼을 갖고 있다가 상세한 연락을 받았다. 비령 그룹의 수뇌부가 다시 한 번 궤멸적인 타격을 받은 일에 대해서.

그는 한참을 조용한 휴양지처럼 꾸며진 인테리어의 자택, 창가에 앉아 황망한 눈으로 거실의 빈 공간을 바라보다가 간신히 움직였다.

*

유종진 회장에게 그나마 희망이랄만한 것이 있었다. '김영석'이라는 인물에 대한 단서가 남은 것이다.
살아남은 몇 안되는 IT사의 조직원들 사이에서 그런 괴담같은 소문이 퍼졌다.

비령 물산의 김영석 이사가 살아있다. 그가 죽음에서 살아 돌아와 비령 그룹을 몰락시키려고 한다.

뜬구름 잡는 전설같은 이야기였지만, 얼추 맥락은 짚은 이야기였다.
김영석은 딱히 죽은 적도 없지만, 죽기 직전까지는 갔다.
본래는 그럴 힘이 없었지만, 그 과정에서 개발 중이던 신약의 초반응으로 기이한 힘을 얻었다.

거기다 비령 그룹을 몰락시키고자 한다는 의지만큼은 확고한 게 사실이었다.

종진에게는 비령 그룹의 내부에 심어놓은 각 계열사의 민간 사원들이 있었다. 딱히 조직원들은 아니었지만 양화에서 배출한 여러 종류의 인재들이었고, 비령 그룹의 여러 사업에 참여해서 열심히 일을 하고 있는 이들이다.

열심히 일을 하고 있다는 건 그만큼 내부에 깊게 관여하고 있다는 말도 된다. 그 뜻은 곧 내부의 기밀과도 연관이 있다는 이야기였고. 그들은 비령 그룹의 조직원들의 동향이나 동태, 뜬소문들 따위를 잘 추려서 유종진에게 전달해주는 역할을 하고 있었다.

종진은 살아남은 조직원들 사이에 퍼진 이야기를 듣고 김영석을 찾기 위해 애쓰기 시작했다. 어쨌건, 비령 그룹은 무너져가고 있다. 그가 사업 확장의 묘책으로 생각해 낸 범죄 조직의 양陽성화였는데, 그간 들인 공과 투자가 무색할 정도로 처참하게 실패했다.

사업가로서 투자의 실패는 쓰린 것이었지만 다른 노려봄직한 게 있다면 아직 포기하기에는 이르다.

제이스 사 조차도 확신하지 못했을 초인약의 기적적인 성공에 대해서, 그 실물을 잡아두고 여러 검증과 실험을 해본다면 성공을 분석해 기적의 약을 다시 만들어내는 게 가능할 지도 몰랐다.

유종진은 김영석의 뒤를, 사람을 풀어 쫓기 시작했다.

애초에 행적조차 묘연한 일이었지만 대대적인 사건을 벌인 인간의 흔적을 쫓는 것이었으니, 마냥 불가능하지만은 않으리라.

다행히 비령 그룹은 그와 긴밀한 관계에 있었고, 경찰들은 그룹 내부 인원들이 자체적으로 뒤처리를 한 뒤 현장에 도착하거나 하지만 그는 그 이전 상황에 대한 정보를 얻을 수가 있었다.

*

21. 테이크 아웃

김영석은 PC앞에 앉아 있었다. 쉽게 묵을 수 있는 모텔 중에는 프린터 기기가 있는 곳도 있었다. PC는 값싼 물건을 중고로 사들였다. 노트북만으로도 그가 하려는 일은 대강 가능했다.

일단, 그가 차곡차곡 챙겨 놓은 자료를 종이 문서로 뽑으려는 셈이었다.

아무래도 디지털 데이터로 어딘가에 넘겨주는 것도 괜찮지만, 실물 자료가 있는 것도 일하기 편하리라.

적당한 관할 경찰서 본부나 지부에 급편으로 보내기라도 하면 좋을 테다.

그는 불 하나 켜지 않은 모텔 방에서, 꺼지지 않는 은은한 조명과 PC의 불빛만을 보고 팔짱을 끼고 있었다.

인쇄를 눌렀고, 모텔의 오래된 프린터기는 신음을 토하듯 낑낑대며 수 백장 이상의 문서들을 뽑아낸다.

당장 그가 알고 있는 경찰쪽 인사도 몇 있었다. 전혀 뒷배로 쓸만큼의 지위들은 아니었고, 어디 파출소의 말단이나 경찰서의 현장에서 일하고 있는 말단직들이었지만.

그래도 경찰 쪽 인물이라는 게 중요했고, 그들을 통해서 이메일로 데이터를 건네주면 그것으로 족하리라.

보내는 이의 이름은 굳이 적지 않겠지만 그들이 추론을 하는 것까지 막을 수는 없었다.

영석은 그가 알고 있는 비령 그룹의 모든 뒷거리의 사업과 범죄, 비리, 또 그에 관련된 인명 장부들을 모조리 공권력에 넘겨버렸다.

*

김경묵 경위는 말단이라고 할만한 인물은 아니었다. 그러나 최근 경사에서 경위로 진급을 하기도 했고, 그가 일하고 있는 서초 경찰서 전체에서 따지자면 말단이라고 하지 않기도 애매했다.

어쨌건 그는 무슨 일이 생기면 가장 앞서서 나서야 하는 인물이기도 했으니.

나름대로 간부 직위를 갖고 있었지만 조직내에서 아직 큰 힘까지는 없었다. 앞으로 그가 어떤 커리어를 쌓아 나가느냐에 따라 달라지기는 할 테였다.

그런 그에게 이메일 한 통이 왔다.

발신자는 누가 보아도 대강 지어낸 듯한 의미 없는 알파벳과 숫자의 나열로 주소가 적혀져 있었다.

경찰서의 직무용 PC로 함부로 파일 따위를 열었다가 내부 전산망이나 중요 파일이 털릴 위험도 있기는 했다.

그는 고민하며 몇 번의 백신 프로그램으로 점검을 하고 난 뒤에 의문의 압축 프로그램을 받아 내부 문서를 확인했다.

별다른 특이 사항이 터지지는 않았다. 눈에 보이지 않게 감염되는 바이러스나 해커들의 수작도 있기는 하지만, 그래 보이지는 않는다.

하릴없이 앉아 있던 오후 무렵 경찰서. 그는 얼핏 보아도 심상찮은 내용으로 가득 찬 문서 파일을 열었고, 그 내부 상세를 살피다가 소름이 돋았다.

지독하게 잘 만들고 정교한 비리에 관한 기록건이었다. 누군가 일부러 장난질이라도 치려는 것인가, 싶었지만 실제의 그것이라고 보지 않기에도 애매할 정도의 자세함이 있었다.
실물 문서에 관한 사진 자료나 녹음 파일까지 몇 종이 있었고, 그는 이게 혼자 처리할만한 문제는 아니라는 생각이 들어 상관에게 상의를 하기에 이른다.

*

유종진은 김영석의 뒤를 쫓았다.

여태껏 사건이 벌어졌던 근처를 전부 찾았고, 목격자들의 증언을 토대로 사적인 수사를 감행했다.

양화는 대기업이었고, 그들 자체적으로 과학 수사를 진행할 정도의 장비를 갖추는 게 가능했다. 애초에 공산업, 화학, 의학 쪽의 분야에도 발을 걸치고 있는 그룹이었으니 그 정도의 사적 장비를 만드는 건 크게 어려운 일이 아니었으리라.

유종진의 명령에 의해 특무를 명령받은 수사팀이 꾸려졌고, 수십여 명에 달하는 인원들이 한 팀으로 부지런히 움직였다.

가명, '김영석'이라는 인물의 뒤를 쫓는 그들이다. 그들은 김영석이 일을 벌였다고 여겨지는 여러 현장을 돌면서 그의 인적 파편과 흔적을 찾기 위해 애썼다. DNA따위가 어딘가에 흩뿌려져 있으리라는 생각이었으나, 김영석은 여러 일을 처리하며 큰 상처를 입은 적이 없었다.

거기다 그가 돌아다니는 곳은 늘 김영석 그 자신보다는 다른 이들의 상처와 체액 따위가 흩어진 곳이 많았기에 어려움을 겪었다.

김영석이 직접적으로 손을 대어 누군가를 잡은 '최기욱' 전 사장의 차량을 조사하다가 일단 지문 데이터를 얻을 수 있었다. 지문을 근거로 독자적인 데이터 베이스를 구축한 양화 사에서 추적을 이어나갔다.

생각보다 오랜 시간이 걸렸고, 수사는 지지부진했다.
사건이 일어난 현장과 목격자들의 증언은 참담한 수준이었고, 그게 과연 가능한 일인지에 대한 무수한 의심이 들었으나 유종진 회장의 강력한 의지에 따라 추적이 멈추는 일은 없었다.

*

유종진 회장이 김영석의 뒤를 쫓고,
김영석은 비령 그룹의 수뇌부들을 모조리 소탕하고,

또 그가 비령의 비리 장부 데이터를 전부 검경에 넘겨 그룹에 대한 수사가 본격화되는 시기.

김영석은 아직도 자취를 드러내지 않고 잘 숨어 있었다. 경찰 쪽은 비령 그룹에서 연속적으로 일어났던 살인 사건 역시 조사에 착수하고 있었지만, 그룹의 내밀한 범죄 이력에 대한 제보를 받게 되자 수사의 주안점을 돌릴 수 밖에 없었다.

경찰이라 할지라도 인력은 한정되어 있었고, 언제나 가장 중요한 게 무엇인지 시기별로 선택을 해야만 했으니 말이다.

비령 그룹의 간부진을 연속으로 무참히 살해한 살인범 역시 경찰이 쫓아야 할 인물이었지만, 막상 그 피해자가 된 비령 그룹도 선의의 희생양은 아니었으니 말이다.
결국 더 큰 먹잇감을 물기 위해서 경찰은 비령 그룹 무너뜨리기, 에 나선다.

*

"선생님."
"어, 왔나."

유종진 회장은 작은 책방에 앉아 있었다. 그가 자주 가는 단골의 책방이었고, 낡고 오래된 책들과 신간 서적 중에서 주인장의 안목에 따라 골라지는 몇 종류의 책들이 신간으로 늘 들어온다.
책방과 다방을 겸하고 있는 곳이었고, 맛이 그리 세지 않은 은은한 차 종류나 직접 내린 커피 종류를 조금 마실 수 있었다.

유종진은 이따금씩 들르는 곳이었고, 서울 시내 한적한 곳에 위치했다. 가끔 사적인 관계에 있는 사람들을 만날 때 약속 장소로 쓰는 곳이기도 하다.

선생님, 이라고 불린 유종진은 자리에 앉아 작은 책을 펼쳐놓고 읽다가 그를 맞았다.

양화 그룹에서 예전부터 장학생으로 지원을 해서 인재로 키운 한 사내였다. 어린 시절 불우한 가정 환경에 가진 바 재능과 지적 능력을 꽃피우지 못하던 걸, 양화 그룹에서 정책적으로 실시한 장학 제도에 의해서 많은 혜택을 받은 남자였다.

이후 자연스럽게 양화 계열사에 취직을 하게 되었고, 이공계열의 박사 학위를 따서 연구소 쪽에서 재직을 했다.
양화와 비령 그룹 간에 모종의 밀약들이 성립되었고, 유종진의 필요에 의해서 비령 제약에 파견되어 일을 하고 있던 차이기도 하다.

비령 그룹이 휘청거리고 개중 제약사 역시도 마찬가지여서, 내부적으로 구조 조정과 개혁 때문에 몸살을 앓고 있던 시기에도 그는 비령 제약을 떠나지 않고 열심히 일을 했다.
유종진의 명령 때문이기도 했는데, 그는 오랜 연을 맺어온 유종진의 부탁에 의해서 한 물건에 관한 기밀 문서를 빼돌린 상태였다.

애초에 양화와 비령은 전략적으로 제휴를 맺은 것이나 다름 없었고, 또 제이스 사와의 연결 고리가 되어준 것도 애초에 양화 제약 쪽이라 대단한 배신까지는 아니었지만, 남몰래 그런 일을 한다는게 나름의 부담이기도 했다.

유종진은 그가 하고 있는 일이 다른 사람에게 알려지는 걸 원치 않았고, 그러기에 마치 손자와 같이 늘 대우를 해주고 친밀한 관계를 다져오던 사내, 박수용은 적합한 대상이었다.

박수용은 깨나 큼지막한 스마트폰 하나를 유종진에게 건넸다.

"아, 뭐 시켜야 하는 곳이었죠."

박수용은 대수롭지 않다는 듯, 이미 특정 페이지를 켜둔 물건을 유종진에게 보여주고 너스레를 떨며 일어섰다. 좁은 책방 내부의 공간이었다. 다방처럼 이용할 수 있는 곳이, 마치 도서관의 빈 자리처럼 이곳저곳 테이블과 함께 배치되어 있어 책장 사이 좁은 길을 지나 주인장에게 가야 했다.

수용이 카운터처럼 보이는 곳에 선 주인, 장년인 사내에게 '아메리카노 하나요.' '오랜만이네.' '어르신이 부르셔서요. 요즘 참 바쁩니다.' 따위의 대화를 하며 주문을 마치고 자리로 돌아왔다.

유종진은 박수용이 그러는 사이 휴대폰 화면에 뜬 것을, 책을 읽던 돋보기 안경을 낀 그대로 읽어나가기 시작했다. 연배에 맞지 않게 그는 스마트폰 종류를 쓰는 것에 아주 익숙한 사내였고, 능숙하게 화면을 키우고 드래그 등을 하면서 내부 파일을 살핀다.

Fa-1123에 관한 이야기였다. 그리고 Fa시리즈, 프로젝트 전반적인 내용도 포함되어 있었고, 다만 Fa-1123은 아직까지 임상실험에 대한 데이터가 없다는 것으로 나와 있었는데, 김영석에게 투여한 그 건은 데이터를 얻지 못한 일이기에 그러했다.

이전 시리즈들에 대한 내용도 대략적으로 나와있었다. 그 결론들을 나열해 주욱 읽다보면, 사람이 어떤 종류로 고통스럽게 죽어나갔는지를 이어 적어 둔 악취미적인 문서에 불과하게 되었다.

그럼에도 불구하고 유의미한 신체적 변화를 이끌어내고, 특히 뇌 기관 전체에 있어서 순간적인 변모를 만들어냈다는 데 Fa시리즈의 아주 희미한 가능성이 있었다.

유종진은 모든 분야의 전문가는 아니었지만, 그래도 박수용이 건네준 데이터를 읽을만한 지식은 갖고 있었다.

그는 눈살을 슬쩍 찌푸렸다. 그가 건네준 데이터만으로는, 도저히 불가능한 것으로 보인다.

일전에 이형석에게 이야기를 하면서 미래에 대한 희망이나 기대감, 기적을 바라지 않고 과학자가 무엇을 하겠느냐, 사업자가 무엇을 하겠느냐 따위의 이야기를 한 그다.

그럼에도 직접적으로 데이터와 그 세부 내용을 바라보니 도저히 믿고 투약할만한 물건임을 알았다.

초인약은 불가능한 것인가.

현대 의학이나 과학의 한계로는 미싱 링크라고 불릴만한 구간이 너무나도 많았다. 몇 개의 기적이 연달아 일어나야 그가 가설로 삼은 '김영석'같은 존재가 튀어나올런지, 알 수 없었다.

고작해야 약물을 투입한 것으로 외과 의술을 한 것마냥 신체 내부 구조가 바뀌고, 그 변화가 때마침 인간에게 초인적인 힘을 부여하는 쪽으로의 변화라니.

거기다가 어떤 부작용도 없고, 그 직전에 얻었던 치명적인 내부 장기의 손상 등 상처 또한 회복시키고 막강한 회복력을 부여한다니.

만화에나 나올법한 일이었다. 유종진은 욕망으로 인해 들떴던 마음이 조금 식는 것을 느꼈다.

실제 자료와 그 실패의 과정들을 보니 그가 바랐던 '기적'이라는 현상이 얼마나 터무니없는 돌연변이인 것인지 알게 된 것이다.

그럼에도 '김영석'이라는 인간이 실물로 존재한다면 잡아볼만은 하다. 유종진은 가라앉은 마음으로 수용이 건넨 자료를 읽는 와중,

수용이 자리로 돌아와 말을 건넨다.

"말씀하신 게 맞지요?"

당돌한 말이었다. 자신이 틀릴 리가 없다는 뜻이었으니. 유종진은 크게 개의치 않으면서, 마치 손주처럼 돌봐주고 있는 사내의 웃음에 화답했다. 고갤 끄덕인다.

"맞지. 그런데 영⋯⋯."

말투를 조금 흐렸다. 그 끝을 말이다. 수용은 유종진의 대꾸에 심기가 불편한가, 싶어 물었다.

"생각하시던 게 아닙니까?"
"아니, 자료는 잘 줬네. 그런데⋯ 이렇다 할 근거가 없군. 내가

생각했던 일과는 말야. 아무래도 노인네가 헛것을 꿈꿨는지 모르겠어."

유종진은 허탈하다는 투로 이야기했다. 선생의 저의에 대해서 그가 다 알고 있지는 않았다. 박수용이 말이다. 때마침 주인장 사내가 그에게 아메리카노를 가져다 주었고, 수용은 그것을 받아들어 먼저 입가로 가져갔다.

뜨거운 것이었지만 후릅, 하면서 몇 입을 먼저 마시고 내려 놓는다. 그가 동그란 눈으로 유종진을 바라보았다.

"Fa시리즈라면 저도 관할이 아니라서 자세한 이야기는 모릅니다만… 그 이상의 정보를 원한다면 조금 더 시간이 걸릴 것 같습니다. 오시마 부장이랑 직접 논의를 해봐야 하는 부분이라…."
"허허허."

박수용은 종진에게 솔직하게 털어놓았다. 유종진은 허허, 일부러 소리내어 웃으면서 그의 말을 잘라먹었고.
이런 자리에서 고유 명사를 쓰며 말을 하는 건 그리 좋은 판단이 아니다. 유종진은 박수용에게 가르쳐야 할 게 많다고 생각했다. 오래도록 잘 써먹으려면 말이다.

"아니네. 뭐… 내 따로 연락하지. 아무튼 그래, 요즘 어디 괜찮은가? 딱히 불편한 데는 없고. 생활이나, 일하는 환경이나…."
"아…. 아닙니다. 제약사 환경도 괜찮고 사람들도 그다지 모난 구석은 없기도 하고요. 프로젝트 간에 독립성이 지나치게 부각되기는 하지만 제 일만 잘하면 되니 큰 문제도 아닙니다."

종진은 화제를 돌려 수용이 최근 어떤지, 근황 따위를 물으며 친절하고 따뜻한 할아버지인 양 한참이나 대화를 이어나갔다.

그 한참 옆에서 듣고 있던 주인장의 입가에도 미소가 떠오를만 치 따스한 염려로 이루어진 대화들이었다.

그렇게 오랜만에 만난 장학생, 그룹이 지원하고 있는 인재였고 이제는 그에게 환원받고 있는 사내에게 이야기를 건네다 헤어졌다. 유종진은 자리에 앉아 있었고, 박수용만이 다른 일정이 있다며 먼저 일어난 것이다.

대기업의 회장으로서 유종진이 갖고 있는 스케줄이 언제나 약속 대상들보다는 바쁜 면이 있었다. 그러나 아이러니하게도 대기업 회 장이기에, 또 자신만의 독단적인 주관이 있는 그이기에 스케줄을 자유롭게 조정할 수 있는 면도 많이 있었다.

대등 이상의 관계로 양화에 도움을 주는 조력자를 기다리게 만 드는 일이 아니라면 유종진은 모든 사업 상의 스케줄로부터 자유 롭다. 이미 상당한 부분은 출중한 간부진들에게 맡겨둔 상태였고. 그가 모든 일에 일부러 관여하지 않아도 기업과 그 연합체인 그 룹은 현상 유지 정도는 충분히 해내고도 남았다.

유종진은 다소 헛헛한 심정을 달래기 위해서인지, 그저 그 여유 를 즐기고 싶었을 뿐인지. 가게 안에 한참을 조용히 앉아 있었다.

딸랑.

하고 햇살이 비치는 오후 무렵 낡은 책방을 누군가가 찾아왔다.

골목 어귀에 존재하는 책방이다. 이렇다할 간판도 제대로 없었고. 오래된 것이 달려 있기는 했지만 길을 지나면서 알아보기는 힘들었고 일부러 골목에 들어와 그 외관을 찬찬히 살피고 나서야, 아 책방과 다방이 합쳐진 곳이구나 알고 들어올만했다.

그럼에도 단골들 사이에서 알음알음 입소문이 퍼져 영업이 유지되는 곳이었다. 새로운 손님이 방문하는 건 자주 있는 일은 아니었다.

주인장은 카운터에 앉아 커피용 기구를 마른 천으로 닦고 있다가 누군가 들어오는 것을 보고 "어서오세요."라며 작은 말소리로 이야기했다.

문을 열고 들어온 건 한 명의 사내였는데, 캐쥬얼한 옷차림에 모자를 푹 눌러쓴 청년이 그 말을 잘 들었는지 카운터에 선 장년인을 향해 고개를 꾸벅 숙여 보였다. 그대로 다가가 테이크 아웃용으로 커피 한 잔을 시킨 청년은 앉을 자리를 찾아 여기저기를 기웃거리고, 또 책 몇 종류를 뽑아서 읽어보려는 듯 챙기기도 했다.

덜컥.

유종진은 그 와중에도 창가 자리에 앉아 바깥의 햇살과 거리를 바라보고 있었다. 나이가 많으니 소회만 늘고 마음의 평안과 여유에 대한 갈망만이 늘어난다. 그에 덧붙여 계속해서 증가하는 건 삶에 대한 끝없는 집착이었다.

그 집착이 한 차례 물거품이 된 반향인지 탈력감을 느끼면서 바깥을 바라보던 그에게 누군가 다가왔다. 그의 맞은 편 자리. 박수용이 앉았던 곳의 나무 의자를 건드리면서 새롭게 들어온 청년이 합석을 하려는 것이다.

유종진은 말도 없이 앉는 사내의 의문스런 행동에 눈썹을 꿈틀거렸다. 별다른 대단한 차림새도 없이 다니고는 있지만 근처에 비서나 그의 호위를 맡는 인력들이 있었다. 주머니에 있는 호출기의 버튼 한 번을 누르면 금세 달려와 사내를 끌어낼 수도 있으리라.

종진은 그런 사내의 얼굴을 찬찬히 살폈다. 어디서 본듯한 인상이기도 하다.

어디서 보았지.

유종진이, 비령 그룹의 모든 간부진들을 익히고 있는 건 아니었다. 가장 중요한 김도건 회장과 전전대 회장이었던 김도형 회장, 그리고 그를 필두로 사업적으로 연락을 하는데 꼭 필요한 몇 명의 얼굴 정도만이 그가 익히고 있는 얼굴이었지.

비령 그룹을 지원한다고는 하지만 쓸 데 없는 인연이 많이 생겨봐야 그다지 좋을 것이 없다는 이유에서, 그는 만남과 또 연결 고리가 생기는 걸 극도로 경계하고 자제했다.

거기다가 그다지 튀지 않는 인상에 마찬가지로 이유 없는 만남을 지양하며 숨어 살기를 원하다시피 했던 김영석이라, 유종진이 그를 알아보지 못하는 것도 어쩔 수 없는 일이었다.

유종진의 앞자리에 갑자기 찾아와 앉은 사내, 김영석은 유종진의 눈빛을 쳐다보았다. 아래로 내려 쓴 마스크와 깊게 눌러쓴 모자가 의문스럽다. 그 사이에 드러나는 눈빛과 인상이 평범한 것이었다. 유종진은 평범하지 않은 분위기에 눈썹을 꿈틀거리면서 김영석을 마주 관찰했다. 생김새와 달리 움직이는 기색이나 사내의 근처에서 풍기는 묘한 기류는 흔한 게 아니었다.

차분한 눈빛으로 김영석은 유종진을 바라다보다가 먼저 입을 뗐다.

"유종진 씨 되십니까."

영석의 목소리를 들은 유종진은 그게 어디서 들어본듯한 목소리라고 생각했다.

"…자네는."

반문이었지만 그것으로 대답이었다. 나는 맞는데, 너는 누구냐는 말이다.

"김영석이라고 합니다."

그는 감추지 않고 대답했고, 유종진은 심장이 멎을 뻔했다. 그토록 찾아 헤매던 인물을 눈 앞에서 본 셈이었으니. 그 즈음해서 주인장이 의문스러운 얼굴로 테이블에 다가왔다. 어르신이 연달아서 약속을 잡기라도 한 모양이었다.

그가 이야기를 하는 듯해서 별다른 말 없이 아메리카노를 내려놓고 갔다.

영석은 쭙, 하고 플라스틱 컵에 담긴 그것을 의심도 없이 빨아 마시더니 이야기했다.

"비령과 관계가 깊으시다고요."

지난 한 달간, 김영석은 그를 쫓기 위해 애를 쓰는 양화 기업의 수색팀과 경찰 조직의 인력들에 의해 제법 고생을 해야 했다. 경찰 쪽은 먹이로 던져준 비령 그룹의 건에 대해 집중하느라 별로 압박이 심하지는 않았는데,
괜찮아지나 싶나 했더니 양화 그룹 쪽의 수사팀이 문제였다.

집요하게 현장 증거들만을 가지고 그의 동선을 파악하고 다니고 있었다. 가상의 인물이라는 추리에서 시작했지만 대강 그의 신원들을 파악하고 실제 그가 서울 시내에서 옮겨 다니는 거처 중 몇 곳을 찾기도 한 것이다.

김영석은 비령 그룹만의 문제가 아니라, 그들을 키워주었던 여러 투자처 중에 양화 그룹이 있음을 알고 있었다. 개인적으로 유종진 회장과는 별다른 연이 없었고 단순히 비령 그룹의 간부로서만 아는 사실이었다.

유종진이 구체적으로 어떤 계열사에 얼마만큼 깊이 관여가 되어 있는지는 모른다. 일단 비령 물산 쪽은 양화 그룹과는 아무런 관계가 없는 쪽이었으니 말이다.

간부들이 모여있고, 또 투자자들이 함께 면을 맞대는 합석 자리가 있었다면 지나치다 본 적이 있을지 모르겠으나 자세히 얼굴을 보며 서로 이야기를 나누는 건 지금이 처음이었다.

그런 여러 사연이 담긴, 너스레의 일종이었다. 이미 다 알고 찾

아온 뒤에 유종진에 대해서 묻는 것들은 말이다.

"…"

유종진은 곧바로 대답하지는 못했고, 않았다. 떠듬거리며 할 말을 찾는 마음이 반쯤 있었고 눈 앞의 사내가 위험한지 살피는 생각이 반이었다. 갑작스럽게 찾아온 김영석이라는 자에게 무엇을 말해야 그가 초인약을 얻을 수 있을까. 겉에 걸쳐 입은 얇은 재킷의 주머니 오른쪽, 호위의 호출용 버튼이 유종진에게 느껴졌다.

조금이라도 낌새가 이상하면 버튼을 누를 작정이었다. 바로 근처에 있으라고 대기시켰고, 멀어봐야 2, 30m 안팎의 자리일 것이다. 호위들이 달려와서 가게를 포위하고 사내를 끌고가는 것이 어떤 수작을 부리던 먼저이리라.

비록 골목 어귀라고는 하지만 도심 지역에서 시끄러운 소음의 무언가를 쓰리라고 생각되지도 않았다. 창가 바깥은 오후의 햇살이 잡초 따위를 비추는 평화로운 거리다. 그 거리에서 조금만 벗어나면 곧바로 사람들이 지나다니는 가도였고.

"저를 찾으셨습니까."

김영석이 본론을 말했다. 번거롭고 귀찮으니까, 건드리지는 뜻도 내포된 말이었다. 유종진은 조용히 고갤 끄덕인다.

"……자네는……. 정말 죽었다 살아난 건가."

아, 그 얘기인가.

영석은 비령 그룹의 조직원들, 혹은 간부들 사이에 알음알음 퍼져 있는 소문을 알고 있었다. 실제로 그가 얼굴을 내보이며 기행을 저질렀으니 어쩔 수 없는 일이기도 하다. 제약사 쪽의 인원들이 조금 흘리고, 금융사 쪽의 놈들이 조금 흘리고, 하는 식으로 뜬소문이 돌다가 합쳐지기라도 했는지.

혹은 그가 직접 대면했던 비령 물산의 부하들이 입이 싸게 굴었는지도 모른다. 어쨌건 그제서야 김영석은 유종진이 원하는 게 무엇인지 알았다.

그리고 그의 욕구를 충족시켜 줄 생각은, 조금도 없다.

"…예 뭐. 그 말씀이시라면 궁금증이야 풀어드리죠. 죽었다, 살아난 적은 없습니다. 죽을 뻔했으나 되살아난 적은 있죠."

"호오…."

유종진의 눈빛이 다시 생기가 돌았다. 욕망이라고 표현해도 좋을 번들거림이었다. 그는 강인한 생명력을 가진 눈 앞의 사내를 본다. 초인약이라고 했던가. 유종진은 눈 앞의 인간을 잡아야 한다고 느낀다. 그의 손이 버튼 쪽으로 다가갔다.

퍽.

하는 충격이 그의 가슴팍에 느껴졌다. 유종진은 자신의 가슴께에 무언가 날아와 박혔음을 깨달았다. 김영석은 테이블보다 위에, 검은 쇠뭉치를 올려놓고 손가락을 움직였다가 다시 집어넣었다. 영석은 그의 아래에 등에 메고 온 백팩을 두었었는데, 거기서 꺼낸 물건이었다.

완제품이었다.

소음기를 달고, 화약량을 줄이고 탄알의 모양을 바꾸는 등 특이한 공정을 거친 특제탄을 사용했다. 그것을 사용하는 권총 역시 소음을 극소화하기 위해서 총열에 변형을 가한 물건이었다.

지난 시간동안 김만수를 만나 여러 총기 밀수업자 따위등을 만났다. 개중에는 외부로부터 총기를 들여와 파는 놈도 있었고, 물건을 떼다가 직접 자신의 공장에서 완제품을 만들어 파는 제조 장인도 있었다.

제조 장인에게 돈을 주고 만든 특제의 물건이다. 근처에 있어도 그저 바람 소리 정도만 날 뿐인, 일상적인 소음에 충분히 덮일 수 있는 소리만 나는 권총이다.

대신 명중률이 극악하게 떨어지고 그 위력도 사람의 몸을 완전히 관통하지 못한다만, 근거리에서 노인의 가슴팍을 열기엔 충분했다. 수술실이 아닌, 책방의 한 구석 자리에서 물리적으로 열려버린 가슴은 곧 벌겋게 그 주위를 물들였다.

"크업."

유종진은 저도 모르게 수염 근처로 피를 흘렸다. 책방의 주인은 구석 자리가 바로 보이지는 않는, 다른 열에 시야를 둔 뒤 카운터에 앉아 자신의 소일거리를 보고 있다. 말소리가 점차 작아지고 있다고 느끼기는 했으나, 크게 관심을 두지는 않는다.

영석은 몇 발을 연달아 쏴서 유종진의 마지막을 보게 되었다.

그는 그대로 배낭을 들고, 천천히 걸어 아무렇지 않게 다방을 나섰다.

딸랑, 하는 문 근처의 소리가 나고도 주인장은 그저 가는가보다, 하고 잠시 앉아있었다. 애초에 김영석이 받은 것이 테이크 아웃 잔이라 그렇다.

영감님이 오늘따라 오래 계시네, 라는 생각을 잠시 스쳐 하면서 다방은 김영석이 나가고도 잠시간 평화와 고요를 유지했다.

얼마 지나지 않아 곧 골목 어귀에 비명과 소란, 그리고 유종진을 지키는 호위들이 외치는 다급한 고성이 자리를 채웠다.

*

22. (完) 파스타

*

"후우우우우우우."

깊은 한숨을 내쉰다.

김영석은 동남아의 어느 호텔 베란다에 있었다.

경치가 좋은 곳이었고, 그대로 어둔 밤하늘 아래의 바다가 펼쳐져 있었다. 철써억, 철썩. 하고 달의 인력에 따라 움직이는 조류가 마음을 달래는 것도 같다. 일정한 박자로 소음을 내며 움직이는 게 어둔 가운데도 어렴풋이 보인다.

달빛은 그럭저럭 밝았고, 별마저 보였다. 휴양지로 유명한 도심 지역까지는 아니었고, 아직 개발이 덜 된 곳이라 그런 모양이다.

그는 혼자 호텔에서 쉬고 있었다.

고된 일상이었다.

그가 결국 대부분의 일을 끝마쳤고, 비령 그룹은 손쉽게 몰락했다. 이미 지휘부를 잃어 우왕좌왕하던 조직에 치명적인 비밀이 밝혀져 검경의 압박 수사가 들어왔으니 그것들을 지킬 힘이 없었으리라.
곧 관련된 사업체는 양지에서의 것만 남기고, 그 뒷부분의 비리들은 깔끔하게 파탄이 났다.

결국 어떤 기업이 도산한 이후 그 사업체를 사들여 시작한 것들이라, 비령 그룹이 이름을 내걸고 하던 건전한 사업들은 이름을 바꾸어서 다른 투자자의 손에 넘어가 기능하게 되었다.

다만 그 사이에 얽혀져 있던 모든 조직원들이 횡액을 당했다. 비령 그룹과 은밀하게 손을 잡고 있던 각계의 유력자들 역시 몸을 사려야만 했다. 그들이 발뺌하기 어려울 정도의 증거들이 있었으므로, 검경은 뒤가 구린 이들의 약점을 확실히 잡아두고 차례대로 검거하기에 이른다.

유종진 회장이 관여하던 양화 그룹에 대한 것을 영석이 상세하게 모아두지는 못했으나, 결국 다른 불법적 사업과 범죄와 얽혀 있었을 것이기에 그가 죽이지 않았더라도 사회적으로 파탄이 났지 않았을까, 싶다.

거미줄처럼 서로가 서로를 묶고 있는 공생 관계들이었으니, 다른 부분이 무너지면 결국 다른 쪽의 짐을 지고 있던 기둥도 자연스럽게 몰락하는 것이다.

비령 물산을 차지하고 있던 그의 옛부하들은 그의 말을 잘 들었는지, 머리가 돌아가는 놈들은 일찍이 손을 털고 적당한 재산을 들고 멀리 간 모양이다. 어디서 저들끼리 모여 건전한 사업이라도 시작했다는 투의 연락을 받은 적이 있는데, 그 이상 깊이 듣지는 않았다.

어차피 한 번 끊어졌던 인연이고, 다 큰 사내놈들이니 알아서 할 테다.

영석의 충고가 있었음에도 제대로 머리가 돌아가지 않아 비령 그룹의 연을 끊지 못하고 어영부영하던 놈들은 다른 계열사들이 폭삭 망하며 범죄 관련자들이 잡혀 들어갈 때 같이 끌려갔다.

그것 또한 그들의 일이리라.

자연스럽게 그 마지막을 지켜보고 싶었지만, 한국에서 지나치게 날뛰었던 것이 부담스러웠다. 영석은 만수를 통해 도피처를 얻었고, 예전에 만들어두었던 도피용의 여러 자금이나 위조 신분 따위를 사용해 해외로 도망친 게 지금이다.

몇 달 사이의 일들이었지만 아주 먼 일처럼도 느껴진다. 그만큼이나 현실감이 없었던 탓이다.

영석은 베란다에 서서 경치를 구경하다가, 문득 자신의 손을 꾸욱 쥐어보았다. 체조직의 변화가 있는 건지, 평범한 충격으로는 타박상을 잘 입지도 않았다. 호텔 관리인에게는 미안한 일이지만, 베란다의 석재 난간을 쥐어 계속 힘을 줘보자 드득, 하고 그 돌이 갈려 떨어진다.
조금만 더 하면 돌을 부술 수도 있을 것 같은 느낌이었다.

강력한 근력과 초월적인 운동 신경을 얻었지만 극도로 미세한 조작이 가능한 예민함 역시 얻었기에 힘을 잘못 다룰 일도 없었다. 앞을 빤히 쳐다본다.

보통이라면 보일 리 없는 어둠 속의 바다이지만 그의 눈에는 조금 더 훤하게, 그 모습이 또 세세하게 보인다.

많은 것이 달라져 있다. 그 약물의 힘은 그를 바꾸어놓았고, 삶을 지속할 수 있도록 시간을 주었다.

비령 그룹을 무너뜨리는 것이 새로운 삶을 찾은 그의 목적이었지만, 그것이 끝나고 나서 그는 목적성의 부재에 서 있었다.

약물의 부작용, 이라고 할만한 일이었다. 단순히 보자면 그는 초인적인 힘과 생명력을 얻은 것이었지만 다른 사례도 없는 이 변화가 어디로 그의 몸을 이끌어갈 지는 알 수 없었다.

당장 내일이라도 장기 하나가 뒤틀리거나 뇌의 악질적인 변화가 생겨나 죽을 지도 모르는 것이다.

거기까지 생각했던 영석은 피식, 혼자 웃고 말았다.

이전까지와 그다지 다름 없었다.

이런 물약으로 인해 변화되었을 때도, 그 이전도 삶이란 건 원래 그런 법이었다. 누구나 언제 죽을 지 모른다. 삶 속에 불안정한 하루를 이어가기에 그 시간이라는 게 소중한 법이었고, 양심이라는 놈을 똑바로 지키며 살아가야 하는 것이었다.

영석은 한참이나 바다를 바라보다가 방 안으로 들어왔다. 동남아였는데, 제법 바람이 쌀쌀한 면이 있었다. 오늘 날씨가 유달리 그런 모양이다. 낮에는 한창 비가 왔었는데. 덥고 습기가 높아 돌아다니기도 싫었지만 해가 지고나니 언제 그랬냐는 듯 선선하다.

베란다의 커텐과 창을 모두 닫고, 불 켜진 침대에 그는 드러누웠다.

얼마간 TV를 보던 그는 문득 룸서비스를 시킨 것이 기억이 났다. 시간이 지나도 올 생각이 없는 모양이다. 전화를 할까, 하다가 준비가 안되었다면 직접 로비 근처의 식당이나 혹은 호텔 근처의 편의점이라도 들르겠다는 생각으로 걸음을 나섰다.

그가 방문을 닫고 복도를 걷는데, 금세 저 멀리 엘리베이터가 있는 곳에서 알림음임 들렸다. 보통이라면 듣지 못할 미세한 소리였음에도 그 작은 소리들이 모여서 그에게 마치 눈으로 보듯한 장면들을 그려주었다.

마른 체구의 종업원 하나가 여러 짐들을 옮겨오고 있었다. 한 손에는 뭔가 물건이 잔뜩 든 듯한 더플백 류를 들고 있고, 다른 손으로 음식 따위를 옮기는 수레를 밀면서 온다. 저기에 그가 시킨 파스타와 오렌지 쥬스가 있는가, 고민하던 영석은 잠시 그를 쳐다 보다가 슬쩍 다가갔다.

나이가 어린듯해 보이는 종업원은 영 보기 불안할 정도로 위험 하게 걷다가, 끝내 그의 근처에서 균형을 잃어 넘어지려 했다.

한쪽에 들고 있는 더플백의 무게가 자신의 생각보다 더 나가는 지, 순간 균형을 잃으면서 쏠리고 자세가 틀어져 그대로 수레까지 넘어지려고 하는 것이다.

"이." '런 젠장.'

까지 생각을 하면서 영석의 몸이 총알처럼 튀어나갔다.

자기가 시킨 파스타를 지키기 위해서였다.

*

-2권, 完